Crônicas de viagem | 1

Cecília Meireles

Crônicas de viagem | 1

Apresentação e Planejamento Editorial   Leodegário A. de Azevedo Filho
Coordenação Editorial   André Seffrin

São Paulo
2016

© Condomínio dos Proprietários dos Direitos Intelectuais
de Cecília Meireles
Direitos cedidos por Solombra – Agência Literária
(solombra@solombra.org)
1ª Edição, Nova Fronteira, Rio de Janeiro 1998
2ª Edição, Global Editora, São Paulo 2016

Jefferson L. Alves – diretor editorial
Gustavo Henrique Tuna – editor assistente
André Seffrin – coordenação editorial, estabelecimento
de texto e cronologia
Flávio Samuel – gerente de produção
Jefferson Campos – assistente de produção
Flavia Baggio – preparação e revisão de texto
Fernanda Bincoletto – assistente editorial e revisão de texto
Tathiana A. Inocêncio – projeto gráfico
Victor Burton – capa

Obra atualizada conforme o
NOVO ACORDO ORTOGRÁFICO DA LÍNGUA PORTUGUESA.

A Global Editora agradece à Solombra – Agência Literária pela gentil
cessão dos direitos de imagem de Cecília Meireles.

CIP-BRASIL. CATALOGAÇÃO NA PUBLICAÇÃO
SINDICATO NACIONAL DOS EDITORES DE LIVROS, RJ

M453c
2. ed.
v.1

    Meireles, Cecília, 1901-1964
    Crônicas de viagem, volume 1 / Cecília Meireles; organização Leodegário A. de Azevedo Filho; coordenação André Seffrin. – 2. ed. – São Paulo: Global, 2016.

    ISBN 978-85-260-2268-3

    1. Crônica brasileira. I. Azevedo Filho, Leodegário A. de. II. Seffrin, André. III. Título.

16-30529   CDD: 869.98
                                                CDU: 821.134.3(81)-8

Direitos Reservados

global editora e distribuidora ltda.
Rua Pirapitingui, 111 – Liberdade
CEP 01508-020 – São Paulo – SP
Tel.: (11) 3277-7999 – Fax: (11) 3277-8141
e-mail: global@globaleditora.com.br
www.globaleditora.com.br

Colabore com a produção científica e cultural.
Proibida a reprodução total ou parcial desta obra
sem a autorização do editor.

Nº de Catálogo: **3851**

Acervo pessoal de Cecília Meireles

A arte de viajar é uma arte de admirar, uma arte de amar. É ir em peregrinação, participando intensamente de coisas, de fatos, de vidas com as quais nos correspondemos desde sempre e para sempre. É estar constantemente emocionado – e nem sempre alegre, mas, ao contrário, muitas vezes triste, de um sofrimento sem fim, porque a solidariedade humana custa, a cada um de nós, algum profundo despedaçamento.

(Da crônica "Uma hora em San Gimignano")

O turista feliz já está em sua casa, com fotografias por todos os lados, listas de preços, pechinchas dos quatro cantos da Terra. E o viajante apenas inclina a cabeça nas mãos, na sua janela, para entender dentro de si o que é sonho e o que é verdade. E todos os dias são dias novos e antigos, e todas as ruas são de hoje e da eternidade: e o viajante imóvel é uma pessoa sem data e sem nome, na qual repercutem todos os nomes e datas que clamam por amor, compreensão, ressurreição.

(Da crônica "Roma, turistas e viajantes")

Sumário

Apresentação – *Leodegário A. de Azevedo Filho* 13

A Bela e as Feras 19

Spirituals 24

O céu dos *Spirituals* 28

Esperei o *Father Divine* 33

O *Father Divine* 41

"Toda a América unida para a vitória" 47

Recordação 51

Felicidade 55

Hotel de verão 59

Encontros 64

O *Bariloche* 69

Exercício nefelibata 74

Rumo: Sul (I) 78

Rumo: Sul (II) 81

Rumo: Sul (III) 84

Rumo: Sul (IV) 87

Rumo: Sul (V) 90

Rumo: Sul (VI) 93

Rumo: Sul (VII) 96

Rumo: Sul (VIII) 99

Rumo: Sul (IX) 102

Rumo: Sul (X) 106

Rumo: Sul (XI) 109

Rumo: Sul (XII) 112

Rumo: Sul (XIII) 115

Rumo: Sul (XIV) 118

Rumo: Sul (XV) 121

Rumo: Sul (XVI)... 124

Rumo: Sul (XVII)... 127

Rumo: Sul (XVIII) 130

Rumo: Sul (XIX) 133

Rumo: Sul (XX)... 136

Rumo: Sul (XXI) 139

Rumo: Sul (XXII) 142

Rumo: Sul (XXIII) 145

Rumo: Sul (XXIV) 148

Rumo: Sul (XXV)... 151

Instantâneo de Montevidéu 154

Recordação de um dia de primavera........................... 158

Primeiro instantâneo de Buenos Aires 162

Segundo instantâneo de Buenos Aires 166

Terceiro instantâneo de Buenos Aires........................... 171

Cheguei a Belo Horizonte.................................. 175

Ilustração de Juiz de Fora.................................. 181

Instantâneo de Pampulha.................................. 186

A longa viagem de volta 191

Precursoras brasileiras.................................. 196

Evocação lírica de Lisboa 199

Conversa de bichos.................................. 206

Viajar (I) 210

Viajar (II).................................. 213

Pequena viagem 215

Paris-Rio.................................. 218

Chartres.................................. 221

Mapa lírico.................................. 223

O avião.................................. 227

Dacar.................................. 229

Voo.................................. 231

Madrugada no ar 233

Quem não viu Lisboa....................................... 235

Histórias de nuvens 237

Além de todas as montanhas... 239

Encruzilhada.. 241
"*Douce France*"... 244
Pergunta em Paris.. 246
Museus da França.. 248

Cronologia 251

Apresentação

Este é o primeiro tomo do volume *Crônicas de viagem* da obra em prosa de Cecília Meireles, conforme o planejamento editorial aqui apresentado e aprovado pela família da escritora e pelos editores. O volume anterior recolheu as suas crônicas em sentido geral, enquanto este foi reservado para a reunião de suas crônicas de viagem, já que percorreu várias partes do mundo, deslumbrando-se com lugares, pessoas e coisas.[1] Por certo, viajar com ela, ou a seu lado, ainda que pela imaginação, significa muito mais do que uma viagem isolada, sem graça, ou sem companhia, embora realizada. Até porque Cecília não era simplesmente *turista,* mas *viajante,* ela própria distinguindo a semântica dos dois termos.

Com efeito, numa espécie de descodificação poética da realidade, ou, se quiserem, do cotidiano, as funções referencial e denotativa estão naturalmente presentes, mas como ponto inicial ou motivador, em qualquer crônica de Cecília Meireles. Contudo, não apenas a função referencial aí se encontra, como elemento integrante de uma estrutura mais complexa, pois o fenômeno da representação literária é compósito, reclamando logo a presença de outros elementos, numa rede de interdependências solidárias. Tais elementos de representação, indo além do ideológico, no caso de base espiritual ou espiritualista, integram ainda em si a dimensão mítica e a dimensão onírica. Por isso mesmo, a linguagem de suas crônicas não se reduz à linguagem jornalística apenas, por ser essencialmente literária. Mesmo quando recorre à memória, facilmente se percebe que a imaginação criadora percola pelo tecido memorialístico, abrindo espaços por onde se infiltra a ficção, que penetra nos interstícios do texto, guiada por suas mãos de fada. E como aqui se trata de crônicas de viagem, que

---

1 Referência ao plano editorial "Cecília Meireles – Obra em prosa" levado adiante pela Editora Nova Fronteira, entre 1998 e 2001, quando foram publicados apenas o primeiro tomo de *Crônicas em geral*, três tomos de *Crônicas de viagem* e cinco tomos de *Crônicas de educação*, todos com apresentação e planejamento editorial de Leodegário A. de Azevedo Filho. (N. E.)

nada têm a ver com a frieza puramente referencialista de exposições técnicas ou relatórios, o texto logo se eleva e atinge plenamente a categoria estética ou literária, induzindo o leitor a viajar com ela, a suave cronista, numa forma de viagem altamente privilegiada, já que é feita ao lado de alguém que sabe reunir, em fórmula mágica ou encantatória, cultura, inteligência e sensibilidade. Assim são as crônicas de viagem de Cecília Meireles, muito pouco turísticas, pois "viajar é uma outra forma de meditar", como a própria autora diz.

A partir da ida a Portugal, em companhia de Fernando Correia Dias, seu marido, nos idos de 1934, viagem de que a família guarda precioso álbum ilustrado, sempre em missão cultural, pois realizou conferências nas universidades de Lisboa e Coimbra, Cecília Meireles visitou vários países: Estados Unidos da América e México, em 1940, onde proferiu várias conferências na Universidade do Texas, traduzidas para o inglês; Uruguai e Argentina, em 1944; Índia, Goa e várias nações da Europa (Portugal, Espanha, Itália, França, Bélgica, Holanda), em 1951, 1952 e 1953; novamente Europa e Açores, em 1954; Porto Rico, em 1957; Israel, Grécia, Itália (1958); novamente Estados Unidos da América, via Peru, em 1959; e novamente México, em 1962. E isso sem considerar as viagens feitas pelo Brasil afora, particularmente Minas Gerais, São Paulo e Rio Grande do Sul.

Neste volume, em forma de crônicas, revela-se toda a rica experiência humana de Cecília Meireles em seu contato reflexivo com as pessoas e com o mundo, ou em seu contato com várias civilizações e várias culturas. Muitas crônicas, entre as que aqui foram reunidas, estão sem indicação de data nos arquivos da família. Outras estão com datas indicadas com a própria letra de Cecília Meireles, ou pelos jornais e revistas que as publicaram. Para o primeiro caso, entre colchetes, sugerimos uma provável data, levando em conta o assunto e a cronologia de suas viagens a países estrangeiros. Assim, se houver erro, não há de ser muito grande. E aqui informamos ainda que houve atualização ortográfica dos textos, desenvolvendo-se abreviaturas e corrigindo-se erros evidentes nos datiloscritos e nos textos impressos em jornais ou revistas, onde há sempre inevitáveis falhas de revisão.

Por fim, considerando-se que a obra em prosa de Cecília Meireles é tão significativa quanto a sua obra poética, mais uma vez ressaltamos aqui a importância, para a literatura brasileira, desta publicação em vários volumes, graças ao investimento editorial da Nova Fronteira, que resgata rico material disperso em revistas e jornais da época. Podem agora os estudiosos de sua obra, em prosa e verso, dispor de farto documentário de pesquisa e análise. Tudo numa forma literária em que a referencialidade inicial ou motivadora da criação do texto não confunde, em momento algum, configuração mimética com simples reprodução homológica ou especular de contextos, pois o que se tem aqui é representação literária no mais alto sentido da expressão. Daí afirmar Darcy Damasceno, na "Introdução" de *Ilusões do mundo* (Rio de Janeiro, Nova Aguilar, 1976, p. 10):

> Registro do mundo circundante, a crônica de Cecília Meireles é também uma projeção de sua alma no universo das coisas. Alimenta-se da referencialidade, das coisas concretas, de fatos e situações que envolvem o ser humano em seu comércio diário, mas matiza subjetivamente tudo isso. No comentário da vida e suas situações risíveis e pungentes, de entusiasmo ou revolta, tem sempre Cecília Meireles uma ironia sem travo ou uma ternura sem excesso, mas que sentimos morna e brotada de uma aceitação maior do mundo e seus desconcertos e do pobre ser humano que se esforça nos labirintos da vida.

Toda a captação poética da realidade, numa determinada época, aqui se encontra, não apenas orientada para várias nações por onde andou e refletiu, como Portugal e Açores, com muito encantamento pelo povo que nos deu origem e de que descende; Estados Unidos da América e México, onde proferiu magníficas conferências sobre cultura brasileira, a todos impressionando pela sua inteligência e sensibilidade; Paris, a eterna capital da cultura no mundo; Roma, onde a arte poreja a cada esquina; Espanha, sempre gloriosa; em suma, Índia, Israel, Goa, Holanda, Bélgica, Suíça, Montevidéu, Buenos Aires... E também pelo Brasil afora, valorizando cada momento de sua vida, em contato com pessoas e diversificadas culturas, em que penetra com olhos de ver. Viajar com ela é conhecer o mundo, deliciar-se com magníficos instantâneos, percorrer grandes universidades europeias e americanas, participar de congressos internacionais, entrar em contato com personalidades de vários domínios da cultura, comer pratos exóticos, conversar com gente humilde do povo, admirar a paisagem e valorizar o tempo humano, em sua grandeza e em sua precariedade. Aliás, quanto à expressão do tempo, um dia ouvimos da própria Cecília Meireles, nos idos de 1963, ao comentar nosso artigo sobre o poema "Cavalgada", estampado no *Diário de Notícias* de 14 de abril: "O presente abarca tudo: o passado e o futuro nele penetram, porque só ele existe". E o poema dizia: "Escuta o galope certeiro dos dias/ saltando as roxas barreiras da aurora." E nós, pelo telefone, ouvíamos a voz de Cecília: "O presente, e só ele, abarca tudo". Por certo, os filósofos da existência, de todas as épocas ou em qualquer parte do mundo, não diriam isso de melhor forma. Nela o passado apenas sobrevive quando influencia o presente; o futuro só é real quando, igualmente, penetra no presente. Tempo, portanto, *é ser no presente,* abarcando a memória do passado e as esperanças do futuro. Não é propriamente a duração bergsoniana, cantada pelos românticos, o nervo criador e artístico de sua expressão de tempo humano na literatura, como não é a mola propulsora do futuro, como queria Ernst Bloch, o tempo que existe. Para ela, como para qualquer filósofo da existência, *tempo é estar sendo,* já que o presente (e só ele!) abarca tudo, como centro ontológico do próprio ser. Veja-se: "Não há passado/ nem há futuro./ Tudo que abarco/ se faz presente." Também em suas crônicas, de complexa expressão temporal, o presente vai ser o tempo que verdadeiramente terá existência, mesmo quando nele se incorpora o passado, numa concepção existencialmente cristã, como o leitor verá, deliciando-se com as páginas maravilhosas deste livro, que nada tem de propriamente turístico ou vulgar, mas apenas de eterno.

Em conclusão, o *antiturismo* (e aqui se espera que o leitor desprevenido ou ingênuo não se assuste com a expressão, aparentemente paradoxal) de Cecília Meireles está bem exposto na crônica "Os museus de Paris", incluída no segundo tomo deste volume, em que se lê: "Tudo quanto aprendi até hoje – se é que tenha aprendido – representa uma silenciosa conversa entre os meus olhos e os vários assuntos que se colocam diante deles, ou diante dos quais eles se colocam". E acrescenta, em seguida: "De modo que o 'cicerone', por mais que grite, não me atinge..." No final da crônica, chega a ser deliciosamente irônica com os apenas turistas: "Alunos aplicados, fizeram todos os movimentos necessários para isso: cabeça para cá, cabeça para lá, meia-volta à direita – e agora, atenção, para a sala seguinte!" Como se vê, antes da leitura deste livro de crônicas de viagem, será preciso atentar bem para a distinção, preliminar, entre *turista* e *viajante,* dando-se ao último termo o sentido profundo que a extraordinária "pastora de nuvens" sempre lhe deu. E boa viagem a todos!

Leodegário A. de Azevedo Filho

Crônicas de viagem | 1

A Bela e as Feras

Isso foi um domingo, no México.

Tínhamos um chofer entendido em sociologia, turismo e pintura. Em sociologia, fez-me um resumo da história política de seu país; em pintura, declarou-me não estar de acordo com Diego Rivera; em turismo, levou-nos a todos os sítios por ele julgados pitorescos e, aquele sábado, recomendou-me com fervor de especialista o espetáculo do dia seguinte.

Foi difícil arranjar lugares. Sábado à tarde, já estavam quase todos vendidos. Pareciam-me muito caros; mas disseram-nos, ao vendê-los, que seria uma coisa soberba – como garantindo que não nos arrependeríamos daquele emprego de capital. A moça era peruana. Muito jovenzinha. Junto com o troco dos bilhetes, deram-nos a sua idade exata: apenas dezessete anos.

*

Não fez o sol que eu desejava. Muito ao contrário: havia nuvens e nuvens que se alastravam lentamente, fazendo entardecer antes do tempo. Lembro-me do vento que movia um pouco a areia do caminho. "Tem cuidado com o relógio!", disseram por perto. Os outros riram-se. Falava-se espanhol, inglês, português. As senhoras estavam encantadas com os seus vestidos. Os homens, muito nervosos. Apregoavam coisas pela porta. Lembro-me de papéis coloridos: vermelhos, amarelos, azuis, que o vento à força desenrolava. Lembro-me de refrescos. E era tão grande o lugar, que todos conversavam, discutiam, riam-se – e tudo parecia silêncio. Viam-se as nuvens passar muito grandes, por cima. Por entre os bancos, apareciam e desapareciam indiozinhos mexicanos, de olhos maliciosos, sorriso imperceptível.

*

Ela era delgada, branca e loura. Tinha dezessete anos. Estava toda de preto. Montava admiravelmente. Quando levantou a cabeça para agradecer os aplausos, sob as abas retas do chapéu, de tira passada pelo queixo, brilharam seus grandes olhos claros, exatamente como duas águas-marinhas.

Deu uma volta pela arena, exibindo por todos os lados sua esbelta e sóbria elegância. De costas, via-se-lhe a trança de ouro suave enrolada sobre a nuca. A multidão já começava a uivar. Um aficionado deu início ao espetáculo, atirando-lhe aos pés um ramo de flores.

Sendo tão delgada e branca e loura, ela me fazia pensar num modelo de santa gótica. Mas era toureira. Toureira.

*

O touro negro entrou distraído e pacífico. Não olhou para o público nem para a gente da praça. Tanto que as roupas de lantejoulas dos peões ficaram numa sombra lamentável, sem nenhuma expressão.

O touro vinha meio adormecido no seu corpanzil lustroso, e seus olhos não tinham previsões de nada.

A multidão debruçou-se para a cena. Todos os idiomas se calaram. Ninguém mais se lembrou de avisar: "Tem cuidado com o relógio!" E as nuvens certamente pararam desmaiadas por cima da arena.

A toureira começou sua dança de tentação. Esvoaçava diante do touro, tornando alado o cavalo. Com seus ares de anjo, tocava-o com a lança, feria-lhe o negro corpo lustroso, e a cada instante eu pensava que ela tratava de o desencantar. Pensava que ela era Circe, pensava coisas sobrenaturais, pensava que aquele grande corpo ia cair num dado momento como um pesado vestido, um disfarce, um esconderijo, uma praga – e de dentro da Fera surgiria um moço delgado e louro que ajudaria a descer do cavalo a jovem amazona e a conduziria, pela praça, de braço dado, ao som da música, sob uma chuva de flores...

Mas via apenas a grossa pasta de sangue brotando das feridas abertas. Ai! como braçadas de cravos vermelhos sobre cetim negro. E a Bela dançando a sua fina dança de anjo e de naja. Os peões sumiam-se. A arquibancada apagava-se. Embaixo e dos lados tudo era como em cima: cinza de nuvens. Só existiam a Bela e a Fera.

*

Depois, ela mudou de jogo. Passou a lançar-lhe farpas agudas, de onde se desenrolavam longas fitas de papel de todas as cores. O corpanzil negro já estava muito furioso. O touro resfolegava desesperado. "Por que não te desencantas depressa?", perguntava-lhe o meu pensamento. Mas seu corpo ia sendo uma ilha negra, toda sulcada por vagarosos rios vermelhos... "Ainda que morresses, valia a pena desencantares-te! Não serás mais a Fera. Nunca mais terás esses olhos ardentes mas cegos. Nunca mais te ferirão assim, para te despertarem, pois estarás para sempre iluminado e vigilante!" Agora, porém, ele já tinha todas as bandarilhas de um lado e de outro, e era uma festa para aquela gente a ondulação das fitas coloridas na ponta das farpas cravadas no touro negro.

A toureira sorria vitoriosa. Como seria o seu rosto se o milagre se desse, e a Fera se transformasse num homem ou num santo?

*

Não havia mais nada a fazer senão tourear.

Ela estendeu a capa. Asa vermelha e negra. O touro não entendia nada de asas. Aquele não era o touro enigmático da Assíria... Seu único mistério ia acabar agora, e já estava suspenso entre o vermelho da capa e a cintilação da espada.

A Bela era delgada, branca e loura. Ficava mais loura e mais branca e mais delgada perto da grande Fera negra. Ficava mais pura junto às fontes de sangue que lhe abrira no corpo fatigado. Mais fria diante da fumaça que estertorava em suas narinas. E, no entanto, a Fera agonizante procurava-a. Que desejava a Fera? Desejava morrer ou desejava matar? Pedia-lhe que a acabasse de libertar, ou queria destruí-la com as pontas dos chifres?

A Bela dançava com a espada e a capa. Que desejava a Bela? Desejava matar? Desejava dar outra vida? Desejaria morrer? Provocava o moribundo. Oferecia-lhe seu corpo de flor, seu corpo de santa gótica, tão leve. A Fera projetava-se e encontrava apenas a asa vermelha da capa aberta.

E esse era o bailado da morte. E a multidão toda muda esperava como um tributo a sua vítima. Qualquer das duas. E a morte mirava a Bela e mirava a Fera.

Então, a Fera decidiu-se: vergou a cabeça, para levantar nos ares o corpo delgado e branco da loura santa gótica.

Então, a toureira decidiu-se: e cravou-lhe a espada, num golpe certeiro.

A Fera caiu como de joelhos. Dos rios de sangue do seu corpo iam rolando cravos encarnados cada vez maiores. A arena encheu-se de um acre perfume de jardim fantástico.

A toureira cumprimentava para um lado e para o outro. Tinha dezessete anos. Delgada, branca, loura. Saíam chispas de estrelas dos seus olhos azuis.

*

A multidão uivava, berrava, rosnava. A Fera morrera em silêncio. Já ia sendo arrastada para fora da arena, coberta das flores que enroxeciam sobre a sua imóvel negrura, ainda palpitantes e quentes.

Os homens e as mulheres arrojavam chapéus, flores, casacos, cigarros, despojavam-se de tudo sobre a arena.

O outro devia estar perguntando ao companheiro: "Então, ainda tens o relógio?" Uma senhora americana desmaiou. Abanaram-na com um lenço.

A toureira desapareceu.

As nuvens continuaram a correr pelo céu.

*

O segundo touro, esse era cor de bronze. Esse entrou pela arena adentro bufando fogo, à procura da Bela. E a Bela saltou na sua frente, do mesmo modo, como um anjo de tentação.

Esse não vinha de olhos vagos, mas de olhos resolutos, e tinha movimentos bruscos de arremesso para o cavalo que piruetava aqui e ali.

Esse parecia realmente sanguinário, e possuía a viva noção da sua força e do seu castigo.

Mas a lança da Bela picou todo o seu corpo, e fez nascerem novos rios vermelhos... As mãos da Bela atiraram-lhe novas farpas, enchendo os ares de listras de todas as cores... Quando a espada da Bela se cravou na sua nuca, ele levantou a cabeça robusta e partiu-lhe a espada.

Foi quando a Bela empalideceu. Tornou-se um marfim seu rosto, e sua mão, no ar, se abriu.

A morte encostou-se tanto à Bela, que toda a multidão estremeceu. Todos a viram morrer, pálida, os cabelos de ouro jorrando, desmanchados... A multidão respirou, sorvendo a imagem da sua vítima.

Aconteceu, porém, que uma nova espada surgiu na mão da toureira. E a morte desprendeu-se do seu peito e abraçou a Fera, que caiu, toda lânguida, para descansar da luta contra a Bela, envolta no veludo de sangue que ia descendo do seu corpo de bronze.

*

Lembro-me do rosto branco e azul da toureira. Da sua trança de ouro. Do seu sorriso. Tinha os dentes unidos, numa fila perfeita, e os lábios de fita fina.

Lembro-me do touro negro e do touro de bronze, deitados de bruços, levados para fora da praça, vencidos, arrastados numa prancha...

Lembro-me daquele cheiro de sangue, pastoso e forte.

Murmurava comigo: "A Bela e as Feras... a Bela e as Feras..." Em seguida, as Feras desapareciam. Em seguida, desaparecia a Bela... Depois, tudo se misturava. A Bela sorria com o corpo morto das Feras... As Feras choravam no corpo vivo da Bela...

Rio de Janeiro, *A Manhã*, 23 de outubro de 1941

Spirituals

Webster define o *Spiritual* como *"a kind of religious song peculiar to negroes of the southern United States, with strongly marked rhythm and the graphic narrative method of the folk ballad"*.

Esse cântico, tão sucintamente definido num dicionário, é, na verdade, uma das criações mais poderosas da literatura popular e um dos documentos humanos mais comovedores para os que não são insensíveis aos sofrimentos dos povos escravos.

A origem dos *Spirituals* se obscurece e confunde com os tempos de cativeiro; eles ilustram o processo psicológico do negro na aceitação do seu martírio, e a maneira de transcendê-lo, pela evasão espiritual, na miragem de uma vida futura conquistada com esperança e resignação.

Todo o mundo tem ouvido e admirado muitos dos principais *Spirituals* gravados por Marian Anderson e Paul Robeson: mas nem todos têm tido a fortuna de ouvir um grupo cantar: e o *Spiritual* é sobretudo um cântico coletivo, que impressiona tanto pelo conjunto das vozes, como pela gravidade das figuras, hirtas e sérias, vestidas de branco, com um olhar tão inundado de certezas divinas que em cada uma delas parece prestes a despontar a cada instante asa ou auréola, em mensagem do céu.

Os *Spirituals* são os mais bem conservados, dentre os cânticos negros, precisamente por serem considerados os de mais elevada categoria, embora, passando de um grupo a outro, sempre experimentem alguma alteração.

Mary Virginia Bales refere que, ao perguntar aos negros como compõem seus cânticos, sempre tem obtido respostas assim: *"De Lord jus put hit en our mouf. We is ignorant, and de Lord puts ebry word we says en our mouf."* (É Deus que os põe em nossa boca. Nós somos ignorantes, e Deus põe em nossa boca cada palavra que dizemos.)

A verdade, porém, segundo ela e outros estudiosos do assunto, é que o *Spiritual* é composto coletivamente, começando por alguma citação bíblica ou frase inventada pelo *leader,* à qual se vêm juntar outras, sugeridas pela assembleia religiosa.

Em "Moaning", transcrito por John e Alan Lomax, pode-se ver um exemplo de *Spiritual* elementarmente construído. É a repetição, pela assembleia, de cada frase pronunciada pelo pregador. Nesse caso, dir-se-ia tratar-se de uma composição individual. Mas em tais exemplos, porém, costuma variar a música do coro, o que já contribui para o caráter coletivo da peça. Começa o pregador:

> *De trumpet sounds it in my soul.*

A assembleia repete a frase. Volta o pregador:

> *I ain't got long to stay here.*

A assembleia diz a mesma coisa, e assim por diante.

Em "Mone, member, mone!", transcrito pelos mesmos autores, a assembleia não repete a frase ou verso do pregador, mas outra, que também é sempre a mesma, e forma uma espécie de estribilho:

> *Tell-a me who dat had a rod?*
> *Mone, member, mone!*
> *Hit was Moses, chil of God.*
> *Mone, member, mone!*
> *Who dat hit dat mighty rock?*
> *Mone, member, mone, etc.*

Pode-se acompanhar o desenvolvimento do processo de construção com outros exemplos. Assim "Healin' waters" apresenta a forma de tercetos com os dois primeiros versos sempre iguais:

> *Healin' waters done move,*
> *Healin' waters done move,*
> *What's de matter now?*
>
> *Healin' waters done move,*
> *Healin' waters done move,*
> *Come to Jesus!*
>
> *Healin' waters done move,*
> *Healin' waters done move,*
> *Scul gittin happy now?*
>
> *Healin' waters done move,*
> *Healin' waters done move,*
> *Hallelujah!*

Surpreende-se uma terceira forma em "Well, well, well, tone de bell easy", onde esse verso é repetido três vezes seguidas, e acompanhado de um quarto verso que vai variando ao longo da composição:

> *Well, well, well, tone de bell easy,*
> *Well, well, well, tone de bell easy,*
> *Well, well, well, tone de bell easy,*
> *Jesus gonna make up my dyin' bed.*

Pouco a pouco, a construção se vai complicando. Agora, a forma é de quartetos, variando apenas a terceira linha:

> *Blin'man stood on the way an' cried.*
> *Blin'man stood on the way an' cried.*
> *Cryn', "O Lawd, show me de way!"*
> *Blin'man stood on the way an' cried.*

Daí por diante torna-se impossível analisar cada forma, dentro dos limites de um artigo.

Segundo James W. Johnson, uma autoridade no assunto, a estrutura dos *Spirituals* em "perguntas e respostas" seria ainda remanescente africano:

A study of the spirituals leads to the belief that the earlier ones were built upon the form so common to African songs, leading lines and responses. It would be safe to say that the bulk of spirituals are cast in this simple form.

Quanto à música, Natalie Curtis Burlin, que recolheu muitas peças, diz ser uma coisa literalmente *"in the air"*, querendo significar com isso a extrema flexibilidade que lhe imprimem os cantores. Ilustra essa afirmação contando que, ao perguntar a um recém-chegado de outro lugar que parte dos *Spirituals* costumam cantar, recebeu esta ingênua resposta: "Oh! às vezes sou soprano, outras vezes... baixo. Depende da melodia, e da maneira por que a sinto..."

Quanto ao tema, Mary Virginia Bales tentou classificar os *Spirituals* em duas categorias: os que se ocupam da Bíblia e das experiências religiosas pessoais, ou são *Denominational songs*, – e os que têm estribilhos religiosos, mas são antes de caráter moral que religioso.

Parece, no entanto, que conviria separar os que se ocupam de passagens da Bíblia numa categoria, pois têm caráter didático, representam uma forma de instrução oral, – dos que representam a experiência pessoal e que são completamente de outro gênero. Nestes últimos se encontram, passo a passo, todos os caminhos tentados pelo escravo para sua libertação, não neste mundo – coisa a que a dureza do cativeiro já não lhe permitia aspirar – mas no outro – num outro aceito pela sua natural ansiedade de justiça, como equilíbrio e compensação. A este grupo pertencem os *Spirituals* que falam de resignação, de humildade, de arrependimento, da alegria do conhecimento de Deus, de confiança no céu, de desejo de morte e de final encontro de paz e justiça, entre os anjos e os santos, longe dos hipócritas, dos déspotas e dos perversos.

No primeiro grupo se encontram os belos *Spirituals* em que a história da criação do mundo, a história de Jó, e outras passagens do Antigo Testamento são narradas com imagens tão vivas, brilhantes e primitivas como uma coleção de estampas para uso das crianças. Esses encerram o ensinamento dos missionários; nada têm de particular, a não ser a graça da construção ingênua, devida, naturalmente, ao duplo fato da compreensão imperfeita, e bastante fantástica do assunto, e à incapacidade de um manejo adequado da língua. Mas são os outros que nos contam a tragédia da alma negra. Um pouco da tragédia de cada homem: a obrigação do mundo, e a vocação angélica.

Rio de Janeiro, *A Manhã*, 30 de dezembro de 1942

O céu dos *Spirituals*

Uma enorme tristeza se desprende dos cânticos espirituais dos negros americanos. Vem da face grave e mística dos cantores? Das vozes, dessas inesquecíveis e doloridas vozes que já parecem modeladas para exprimir o martírio do cativeiro e a paixão mística? Vem da música, tão simples e trágica, unindo à maior sobriedade e maior exaltação?

Vem de tudo isso, e vem das palavras, do texto cantado, que, por ser feito de tanta dor, em dor vai convertendo rostos, vozes e músicas.

O escravo sofredor perdeu a esperança de felicidade neste mundo. E o missionário ajudou-o, inventando-lhe um mundo posterior, para a realização dos impossíveis. Alentado por essa promessa, era natural que o negro se desgostasse da vida presente, e passasse a suspirar pela outra, nela se refugiando em pensamento, nos instantes de evasão, e esforçando-se por alcançá-la bem depressa, a fim de desfrutar dos bens que aqui na terra não o favorecessem.

Por isso, um dos temas principais dos *Spirituals* vem a ser o que se refere à morte: sentimento de morte, desejo de morte, planos sobre o momento final. A morte seria o início de uma vida melhor. Seria, também, o grande instante da justiça. Diz um *Spiritual*: "Gosto bem do que Deus fez: que os ricos morram como os pobres."

I'm so glad God fixed it so
Dat de rich muss die as well as de po.

O sentimento de compensação acena-lhe com vantagens futuras, pois "quem não carrega cruz não usa coroa":

Ef you cain't bear no crosses, you cain't wear no crown.

E, dentro desse raciocínio, que pode haver de mais desejável, de mais estimável que a morte?

Prepara-se o negro para morrer. Para bem morrer. Fez sem murmurar o trabalho duro que lhe coube. Foi humilde. Seguiu o exemplo de Jesus. Com Jesus se encontrará no outro mundo. Com Jesus, com o Batista, com Paulo, com muitos santos. Os santos não se recusarão, como os homens cá da terra, a apertar-lhe a mão, a tratá-lo com humanidade, a deixá-lo cantar entre rosas e lírios, e, sobretudo, lhe darão as coisas que ele não teve: sapatos, vestidos, coroas de estrelas – a ingênua maravilha de um paraíso branco e dourado, que enche de infantil graça decorativa muitos dos mais belos *Spirituals*.

A morte conduz a uma região muito além da lua, que às vezes se vê da Galileia, e por onde, às vezes, desliza o Jordão. Lá se encontram muitas das figuras bíblicas, às quais se mandam recados:

If you see John the Baptist,
Just tell him for me,
To meet me to-morrow in Galilee.

Para se chegar a essa região, atravessa-se um rio, ou sobe-se pela escada de Jacó. Quem não ouviu cantar ainda o "Deep river"?

Deep river,
Deep river, Lawd,
Deep river, Lawd,
I want to cross over in a ca'm time.

Ao desejo de atravessar o "rio profundo" numa hora serena se vem juntar, naturalmente, o de ir ao encontro da morte sorrindo, em plena paz:

I'm gonna meet death smilin'
I'm gonna meet death smilin'
I'm gonna meet death smilin'
I want to cross over in a ca'm time.

Entre os seus planos de bem morrer, vai o negro recordando as coisas deste mundo. E uma que o fere amargamente – e que aparece sob várias formas em diversos *Spirituals* – é a lembrança da orfandade, e da sorte das criaturas privadas do agasalho materno. Como no folclore português:

Quem tem sua mãe tem tudo,
quem não tem mãe não tem nada.

diz o negro no "Tone to bell eazy": Quando eu tinha mãe, tinha para onde ir. Desde que ela morreu e partiu, fiquei andando de porta em porta.

When I had a mother,
I had somewhere to go;
But since my mother's been dead and gone,
I been wanderin' from do' to do'.

Mas agora o céu o acolherá.

I'm a-going to climb up Jacob's ladder,
I'm a-going to shake right hands with Jesus.

O céu é belo, e tem lugar bastante. O negro não ficará para trás, mas entre as rosas, os lírios e os anjos cantores:

I can't stay behind, my Lord,
I can't stay behind;
I can't stay behind, my Lord,
I can't stay behind.

There's room enough, there's room enough, I know
I can't stay behind.

Ele participará do banquete celeste, atravessará o Jordão, voará pelo céu. O *Spiritual* "Hell and Heaven" dá uma ideia das delícias esperadas, e é uma delicada pintura dos sonhos de um escravo: "Dois cavalos brancos irão lado a lado: juntos passearemos eu e Jesus. Jesus me deu uma vassourinha para limpar o meu coração. Que sapatos usam os anjos? Nenhum, porque eles passeiam pelo ar. Quando eu for para o céu, não terei senão que voar e cantar aleluia. Ninguém me mandará sair, quando eu gritar no céu. Ainda não estive no céu, mas ouvi dizer que lá as ruas são de ouro. Quando for para o céu, vou todo de branco. Quando lá chegar, me sentarei e direi aos anjos que toquem os sinos. Eu e Deus faremos no céu tudo que nos agradar."

A pintura completa-se com o que diz outro *Spiritual*: "Way in the Heaven bye-and-bye": "Lá não há mentirosos nem hipócritas. Lá não há aborrecimentos. Lá nos sentiremos felizes."

> *There will be no liars there,*
> *There will be no liars there,*
> *We're going to have a good time.*
> *Way in the Heaven bye-and-bye.*

Um dos mais curiosos *Spirituals* é, sem dúvida, o que descreve a chegada de um devoto ao céu, e a cena que então se passa, tendo como personagens o recém-chegado, Deus e os anjos. Deus convida-o a sentar-se e ele responde que é tão feliz que nem se pode sentar. Começa a lembrar a Deus as suas promessas: um longo traje branco, um par de sapatos, uma coroa de estrelas, uma faixa dourada... Deus manda buscar pelos anjos todas essas coisas e, estando o devoto completamente satisfeito, convida-o afetuosamente a sentar-se...

Vale a pena a transcrição:

> *Set down, servant.*
> *I cain't set down.*
> *(três vezes)*
> *My soul's so happy*
> *Dat I cain't set down.*
>
> *My Lawd, you know*
> *Dat you promise me,*
> *Promise me a long white robe*
> *An' a pair of shoes.*
> *Go yonder, angel,*
> *Fetch me a pair of shoes,*

Place them on my servant's feet...
Now, servant, please, set down.

My Lawd, you know
Dat you promise me,
Promise me a long white robe
An' a starry crown.
Go yonder, angel,
Fetch me a starry crown,
Place it on my servant's head...
Now, servant, you set down etc.

Pelos *Spirituals* fica-se conhecendo o céu que ambicionavam os tristes cantores antigos, cuja mágoa até hoje se repete nessa confidência mística. Por essa imagem do céu, compreende-se tudo que lhes faltava: desde as belas coisas deste mundo – roupas finas, flores, boa mesa, tranquilidade, – até essas outras pequenas coisas mais sutis que vêm a ser a ternura humana, o equilíbrio afetivo, o convívio amigável entre pobres e ricos, a justiça igual para pequenos e grandes, o sentimento de fraternidade entre as diferentes raças.

O mais belo dos *Spirituals* deixa-nos sempre a melancolia de pensar no sofrimento que teve de ser experimentado para que rompesse da terra esse grito de angústia, evadido como um pássaro. A essa mensagem tão bela e dolorosa tem-se vontade de acrescentar um "*post scriptum*": pede-se a Deus que escute a voz que canta.

Rio de Janeiro, *A Manhã*, 8 de janeiro de 1943

Esperei o *Father Divine*

O Harlem, de dia, parecera-me deserto e devastado, como certos bairros tristes, depois de um vento forte. A rua principal, velha, pobre, larga, fazia-me pensar nos arredores da praça Onze, embora não se pareçam nada. Crianças negras, magrinhas, deslizavam de patins pelas calçadas. Os cartazes desgraciosos das lavanderias, engraxates, sapateiros, remendeiros, e dos igualmente numerosos institutos de beleza apresentavam ao público suas listas de preços. Negros muito feios e risonhos, como se encontram por toda a América, se entretinham pelas portas de algumas lojas modestas, desengonçados, conversando. Olhavam de soslaio para as brancuras que passavam, e riam-se de nós, com um misto de velhacaria e timidez.

Mas o Harlem, à noite, pareceu-me completamente preto. Para entrar naquela treva, o automóvel tinha que ir metendo os faróis como saca-rolhas. A luz rodava pra cá e pra lá, e apareciam as pernas delgadinhas das crianças nas calçadas, os sapatões de algum velhote, papéis, cigarros, cisco, o esmalte branco e redondo de um olho, uma dentuça alvejante, um botão de vestido.

Quando o automóvel parou, muitas crianças vieram para perto, olhar as brancuras que desciam. Ainda não era muito tarde, mas já estavam sonolentas;

tinham nas mãos cordas, pedaços de bonecos, de carrinhos, e olhavam de boca aberta, trancinhas espichadas para os lados, e os olhos de ameixa e creme escorrendo um olhar de lua e açúcar.

Estávamos à porta de um dos muitos teatros em que todas as noites, das nove à meia-noite, se reúnem os negros de Nova York, à espera do *Father Divine.*

Logo que entramos, desconhecidos e inesperados, fomos recebidos ternamente por homens, senhoras, moças, rapazes, crianças, que nos dirigiam o mais delicado sorriso, e com uma inflexão musical nos murmuravam: "*Good evening, sister*", "*Good evening, brother*".

A casa já estava cheia. Era um salão enorme, com umas cortinas à entrada, formando uma espécie de antessala, onde se agrupavam muitas pessoas para recepção e informação dos visitantes.

Embora entre os adeptos do *Father Divine* seja proibida a promiscuidade, consentiram que, na nossa qualidade de estrangeiros, permanecêssemos todos juntos.

Subimos, então, por uma escadinha estreita e empinada, agarrada à parede, e chegamos a um balcão de onde pudemos distinguir, em toda a sua imensidade, a massa de fiéis que ali aguardava o seu chefe espiritual.

Aquilo era um largo teatro, e estava cheio de ponta a ponta. De um lado, as mulheres e meninas; do outro, os homens e rapazes. Havia até duas orquestras: uma feminina, outra, masculina. Foi a primeira vez que vi uma mulher tocando saxofone. Era uma gorda mulata, amplamente simpática, cujas bochechas inchavam e desinchavam, como é natural, com o ritmo do sopro. Estava bem por baixo da galeria do nosso lado. Tocava um hino, e todos os assistentes nos seus lugares, e na mais perfeita ordem, sussurravam com delicadeza as palavras, que sabiam de cor.

O aspecto do salão era da mais completa disciplina. Nunca vi multidão tão copiosa em tão perfeita ordem. Mas o ambiente era inquietante, devido à decoração do teatro, com bandas de pano, de grandes dizeres, que o atravessavam de lado a lado, e variados cartazes de todos os tamanhos e feitios, que de alto a baixo, pelas paredes, misturavam anúncios de sapatos a preceitos de sabedoria e endereços de tintureiros a versículos da Bíblia.

Tudo isso era muito aflitivo para mim, que, naquele mundo novo, recordava noites de delírio, em crises de sarampo. E, mirando as bochechas da senhora que tocava saxofone, ia imaginando, como podia, o que nos aguarda por ocasião do Juízo Final.

Por uma banda de pano branco que atravessava o teatro como uma peça de morim desenrolada, oscilavam dizeres pouco mais ou menos assim: "Os três grandes atos da América são: a Independência, a Constituição e a Mensagem do *Father Divine*." Grandes letras pretas, altas, magras, e as estrelas da bandeira dançando ao passar da brisa. Falei comigo: "*Excusez du peu...*" E fui ler outras coisas.

Bem atrás de mim havia três cartazes, cujos dizeres copiei. O primeiro rezava:

> *Peace*
> *The axe is lying at the root of the tree, hawing down the tree and limbing up the branches, and that is Father Divine.*
> *God.*

O segundo tinha a disposição de certos poemas modernos, e, Deus me perdoe, parecia mesmo um poema:

> *Peace*
> *This is God!*
> *Father Divine*
> *The word was God*
> *now its made flesh*
> *Walking, talking with us*
> *our cups are running over*
> *no more darkness*
> *Since he has come.*

Esses dois apenas procuravam definir o *Father Divine*, revelação de Deus na Terra, verbo feito carne, espancando a escuridão. Mas o terceiro reunia a saudação respeitosa do devoto ao anúncio do seu modesto negócio, insinuando honradez comercial:

> *Peace!*
> *buy your*
> *shoes*
> *at...........*
> *With or without*
> *arch supports.*
> *Thank you Father.*

A experiente amiga que me acompanhava explicou-me: a primeira e a última linha desse anúncio representavam uma espécie de código; por elas se reconhecia o negociante filiado ao grêmio do *Father Divine*, que, por sua união, tem qualquer coisa de maçonaria e de gueto.

Alguns cartazes eram em cores, recobertos de uma areia cintilante, como aqueles antigos postais em que se viam corações estufados, de cetim vermelho, com a fosforescente palavra "Amor", entre passarinhos.

Havia no teatro um tablado com microfone e, ao fundo, uma tela. A amiga experiente informou-me que todas as noites, durante três horas, a multidão se reunia ali para esperar o *Father Divine*. Enquanto o esperavam, ouviam discursos e palestras sobre vários assuntos, cantavam hinos religiosos e assistiam a filmes de caráter educativo, ou relacionados com as atividades de seu chefe espiritual.

Perguntei-lhe como podia o *Father Divine* comparecer a todas essas reuniões, realizadas à mesma hora em pontos diversos. E ela me respondeu que os fiéis acreditavam no seu dom de ubiquidade, mas que nem sempre o *Father Divine* comparecia. Julgavam, nesse caso, que alguns dos presentes haviam cometido falta grave, o que tornava toda a assembleia indigna da sua aparição. Todos faziam, então, um minucioso exame de consciência e, por ocasião do seu comparecimento, cada um confessava em voz alta os pecados que julgava causadores das ausências do *Father Divine*.

Naquela noite, a assembleia não se encontrava em estado de graça, pois o *Father Divine* não compareceu.

No entanto, todos continuavam nos seus lugares a murmurar cânticos, beatificamente marcando o compasso com um suave balanço do corpo. Às vezes, porém, um dos presentes era etimologicamente tomado de entusiasmo, e levantando-se, com grandes expressões de alegria e frenética bem-aventurança, punha-se a pular pela sala, pelos recantos laterais, pelas estreitas passagens, únicos espaços livres para a demonstração do seu júbilo.

Por mais estranhas que fossem as figuras dançantes, ninguém se ria, ninguém as criticava. Todos, ao contrário, como que se sentiam na obrigação de cooperar com aquela manifestação individual, acentuando mais o ritmo da música com o balanço do corpo, batendo palmas e elevando um pouco a voz. Continuavam a cantar, acompanhando a orquestra, tão longe de todas as considerações mesquinhas deste mundo, que o teatro parecia uma grande nuvem, pairando num céu distante, carregada de anjos, cuja única singularidade era terem corpos na terra e vestidos americanos.

– Realmente, são anjos – explicou-me a experiente amiga. – Assim se tratam e consideram. Como anjos, não se casam. Se já são casados, quando ingressam nesta sociedade passam a viver como anjos solitários, embora próximos.

As duas orquestras alternavam suas músicas, e os dançarinos se sucediam. Reparei que a multidão não era uniformemente negra: havia mulatos de vários graus e brancos de diferentes tons. Quase todos os dançarinos eram louros, longilíneos e serpentinos.

Coube-me estar sentada ao lado de uma negra idosa, que daria uma soberba baiana de tabuleiro, com seu regaço maternal, e seus olhos mansos. Garotinhas negras de olhos sérios saíam do seu lugar, perto de mim, e tornavam a voltar, um pouco impacientes, mas discretas. É que já se fazia tarde, e o *Father Divine* não vinha. A velhota não as repreendia. A velhota continuava sentada, balançando o corpo em cadência, com o rosto cheio de encantamento.

Foi quando a experiente amiga me explicou que os adeptos do *Father Divine* devem estar sempre contentes. Ele mesmo, em seus discursos lança constantemente ao auditório esta pergunta, como um estribilho: *"Aren't you glad?"* E aqueles movimentos do corpo, constituindo uma excitação circulatória, são o esporte dos pobres e fatigados e trazem uma grande sensação de bem-estar. Esse é um aspecto sábio e educativo na obra tão malvista do *Father Divine*.

Afinal, a música terminou, embora o ritmo dos corpos continuasse, e uma senhora subiu ao tablado. Falou da boa vizinhança, das três Américas, da união, da cooperação, da liberdade, da vitória, e foi muito aplaudida.

Perguntei à amiga experiente se era pessoa de relevo no Harlem. Disse-me que não sabia, mas que os negros de cultura superior não gostam do *Father Divine*. Consideram tudo aquilo uma farsa, e praticam o isolacionismo.

Estava demorando, o *Father Divine*. De vez em quando, alguém virava a cabeça para trás, com esperança. Mas as cortinas da entrada permaneciam caídas. Os pecados que impediam a vinda do chefe eram pesos de chumbo nas pontas das cortinas.

Então, para entreter o público, anunciaram uma sessão de cinema. A sala escureceu, e o filme começou a correr. Como corria, aquele filme! Não me lembro de outro assim veloz.

Como estavam tão perto do palco, todas as figuras ficavam compridas e finas, todos os movimentos se convertiam em esgares, e a celeridade tornava tudo espantosamente caricatural. Chegava o *Father Divine* num Rolls-Royce que parecia uma chaminé. Saltava, cumprimentava para um lado e para o outro como um marimbondo. Desaparecia por uma porta. Muita gente preta, branca e mulata ficava batendo palmas que não se ouviam. Todos com cara de Stan Laurel. Aparecia o *Father Divine* numa janela estreita como uma seteira medieval. Balançava a cabeça, agitava a mão, cumprimentando. Desaparecia. Tornava a aparecer, num banquete. Brancos, pretos, mulatos batiam palmas, mudavam de prato, comiam, riam, falavam, comiam mais, tornavam a bater palmas, tudo depressa, depressa. O *Father Divine* entrava no Rolls-Royce, e o Rolls-Royce saía correndo, virava na esquina. Pretos, brancos, mulatos sacudiam chapéus compridos como cartolas, com uns braços imensos, e todos se riam muito, muito, porque estavam muito contentes. "*Aren't you glad?*"

A película devia ser muito velha e viajada, pelas sardas luminosas que faiscavam nos brancos e pretos.

Agora, apresentavam o documentário de uma excursão do chefe. Estradas e estradas. Ônibus cheios de adeptos. Braços de fora dizendo adeus. Senhoras muito compridas, com chapéus brancos. As rodas girando velozmente. O ônibus tal qual uma lagarta doida varando florestas, sumindo-se atrás de pedras, torcendo-se, disparando pelo mundo afora, cheio de fé. Uma chuva torrencial, fazendo rebrilhar impermeáveis de celofane. Todos felizes, cobertos de água e de alegria. O *Father Divine*, fininho, falando depressa, com os dentes entrando e saindo e a rodela dos olhos transformada em elipse, rodando depressa pra cá e pra lá.

Mas não era assim que o via a velhota ao meu lado, que de vez em quando enxugava uma lágrima terna, balbuciando: "*So sweet! So sweet!*" Às vezes, virava-se mesmo para mim, com uma inflexão interrogativa. E eu respondia docemente: "*Yes, sister.*" E todos nós amávamos celestialmente.

*

– Ah! se o *Father Divine* viesse! – dizia-me a experiente amiga. Você veria o que é ser deus entre os fiéis. Toda esta multidão cantaria, dançaria, com um regozijo indescritível. Um se levantaria do seu lugar e diria em voz alta: "Eu furtei uma lata de conservas!" O outro confessaria: "Eu fui ao baile com a camisa do patrão!" Uma dessas moças exclamaria: "Eu me esqueci que era anjo! Eu me esqueci que era anjo!" E todos ouviriam essas e outras confissões com ouvidos que não são deste mundo, mantendo o ritmo da alegria no seu corpo, e a pureza integral do seu coração.

– Mas não virá? – perguntei.

– Já é quase meia-noite. Não virá... E agora vão servir o banquete.

Agucei a narina, e senti no ar um grosso cheiro de comida, como se estivesse abordando uma cozinha africana. A princípio, era apenas como feijão cozido. Mas logo se destacavam outras essências: oleosas, pegajosas, tudo muito pesado, e olfativamente cinzento. Pode ser que de perto fosse melhor.

A amiga, que sabia tudo, contava-me agora a história dos banquetes. Como nos primeiros tempos do cristianismo, e de outras religiões, os adeptos do *Father Divine* se reúnem em banquete, depois dessas sessões noturnas. Fala-se de um, bastante modesto, em que figuravam apenas dezoito pratos diferentes. Outro, solene, compunha-se de cerca de duzentas iguarias. Só paga quem pode. Uma insignificância de quinze cêntimos. Os pobres e desempregados têm comida de graça.

O banquete é servido à meia-noite, numa longa mesa muito limpa, com toda a etiqueta. Quando o *Father Divine* comparece, senta-se no lugar de honra, e todos os talheres e pratos vão passando pelas suas mãos, antes de serem distribuídos aos presentes, que creem receber assim uma parte da Graça de que está todo impregnado o seu chefe.

O ambiente do banquete, asseverou-me a amiga, é de perfeita felicidade fraterna. *"Aren't you glad?"*

Saímos do teatro melancolicamente. Tinha sido frustrado o meu grande desejo de ver de perto esse formidável fenômeno que é o *Father Divine*. Mas à porta, entre *sisters* e *brothers* que musicalmente nos desejavam *"Good night"*, tivemos uma ideia que logo pusemos em execução: iríamos a outro teatro, onde talvez o *Father Divine* aparecesse.

Tomamos um *cab*, e a amiga experiente lançou um novo endereço. Entramos e saímos por aquelas ruas sombrias, velozes como o *Father Divine* no seu Rolls-Royce. Chegamos, saltamos, subimos. Tudo cheirava também a feijão e a graxa, mas ouvia-se um ruído alegre de louças e talheres. No grande salão, estava armada a mesa, irrepreensivelmente limpa. As pessoas se acotovelavam, transportando coisas para o banquete. Sorriam com o seu místico sorriso, e não deixavam de dizer: *"Good evening, brother."* Uma alegria sobrenatural se misturava às luzes das lâmpadas e ao brilho dos copos.

– Acha que o *Father Divine* virá? – perguntou a amiga experiente.

A mulata a quem ela se dirigiu volveu uns olhos profundamente sonhadores, e, com um lânguido sorriso cheio de eternidade respondeu: "Nós O esperamos SEMPRE, embora NUNCA se saiba quando vem..."

Isto não tinha nada de teatral, mas era dito com tão espontânea beleza que me senti arrebatada em espírito como São João. Uma coisa que se espera sempre, sem saber se virá... Ali estava Deus. A mulata olhava para mim, pura e silenciosa. Que mais poderia dizer? Acrescentou apenas *"Good night"*, quando viu que nos retirávamos. E ficou parada, junto à porta, anjo desprendido ao mesmo tempo do céu e da terra, com a sua esperança, com uma espada chamejante na mão.

Rio de Janeiro, *A Manhã*, 10 de fevereiro de 1943

O *Father Divine*

Aquela noite, num bar de Nova York, éramos seis pessoas das três Américas discutindo o problema do *Father Divine*. É possível que muitos americanos desconheçam esse problema; e nós seis precisamente concordávamos em que era tão extraordinário conhecê-lo como ignorá-lo.

As atividades do *Father Divine* já são bem antigas; e, embora seja de paz a sua missão, não se pode dizer que tenha sempre decorrido pacificamente. Ao contrário: intervenções policiais, protestos, desconfianças têm perturbado ou tentado perturbar a obra desse chefe espiritual do Harlem.

– Eu, qualquer dia – dizia-me uma das amigas – me emprego de secretária do *Father Divine*, para ver como é essa história por dentro...

– Eu não creio que ele seja um chantagista – dizia a outra – porque, afinal de contas, dá de comer aos pobres, traz toda essa gente numa disciplina moral severa, ensina o valor da cooperação, da ordem, da fraternidade... Acho em tudo isso uma certa dignidade... De algum modo, esta gente está sendo educada.

Uma terceira opinião vinha estragar esse princípio de apologia:

– Para mim, ele é manobrado pelos brancos...

– Ora, os brancos! Os brancos é que atrapalham! Creio na sinceridade das pessoas de cor filiadas à "missão" – porque essas, realmente, necessitam de uma sociedade que defenda seus interesses, e na qual se sintam compreendidas, estimadas, amparadas... Mas os brancos estragaram tudo! São maníacos, histéricos, viciados, que perderam seu lugar no mundo dos brancos e vieram reabilitar-se no reino dos anjos negros...

– Outro dia – explicavam-me do lado direito – fui pedir umas informações numa das filiais, e quiseram demonstrar-me a existência do *Father Divine* pela teoria da relatividade: quase fiquei maluco...

E, assim conversando, cada um manifestava o que sabia acerca do singular personagem que criou para os negros americanos um movimento de redenção generalizado por quase todos os estados, e por vários países estrangeiros.

Tudo se comentou, de favorável e desfavorável: sua mística e seus automóveis; seus discursos e as *mothers* brancas e negras do seu paraíso; seus ensinamentos e sua casa de verão. Contou-se dólar por dólar o seu dinheiro, e só não se chegou ao fim porque já eram duas da madrugada, e começávamos todos a lutar com um sono invencível.

– Leve estas revistas – disseram-me – e instrua-se. Vamos a ver as suas impressões.

Passaram-me uns exemplares da revista *The New Day,* órgão da missão do *Father Divine.* E assim nos separamos, sem que até hoje voltássemos a falar do assunto.

*

Aqui está o *Father Divine,* sentado à mesa, com o microfone à direita. Avistam-se, num segundo plano esfumado, terrinas, pratos – o serviço dos banquetes. É um negro corpulento, de cabeça completamente raspada, ou calva, com um sorriso à flor dos lábios e uma grande complacência nos olhos semicerrados. Creio que tem uma pérola na gravata axadrezada. Saem-lhe do bolso as fichas do lápis e da caneta-tinteiro. Por baixo deste retrato, está escrito: *Father Divine.* De um lado e outro, estas quatro letras ADFD – o que significa: "*Anno Domini Father Divine.*" Abaixo disso, em itálico, lê-se: "*His name shall be called* IMMANUEL *being interpreted* GOD IS WITH US." (Seu nome deve ser Emanuel, o que significa "Deus está conosco".)

Na verdade, porém, seu nome é M. J. Divine, e costuma assinar a correspondência do seguinte modo: "*Rev. M. J. Divine (better known as Father Divine).*"

Noutra fotografia estão os seus secretários brancos, com umas três canetas em cada bolso, examinando papéis, com grande alegria.

Noutra, as adeptas, que têm nomes deliciosos: *Eternal Love, Love Joy, Purity Love,* de cabelos encaracolados, pulseira-relógio, assinando petições para pôr abaixo a lei Lynch.

Nesta, desdobra-se a interminável mesa do banquete, com os guardanapos engomados pousando em flor dentro dos copos, os pratos alinhados com exatidão geométrica, e, pelo centro, uma fila de fruteiras e bolos que dão à cena um caráter indiscutível de paraíso gastronômico.

Pensar que só em Nova York há mais de vinte filiais da "missão"! Que mesas assim caminham pela Austrália, pelas Índias Ocidentais, chegam até o Panamá, com esta doçaria, com estas fruteiras, com esta gente toda de bom humor! Ah! é preciso fazer-se um esforço violento para não se querer uma inscrição de anjo implume, neste reino maravilhoso que pretende distribuir felicidade e paz a todas as criaturas!

Não sei como funciona nada disto: se há cordéis por detrás das palavras evangélicas – coisa tão frequente –, se isto é um caso de polícia, de loucura ou de santidade. As palavras, às vezes, são de uma pureza comovedora. O *Father Divine* explica, à hora do banquete, que tudo que é feito em seu nome deve primar pela perfeição. Que todas as coisas que ali se oferecem são puras e boas. Que perfeição não significa luxo ou desperdício, mas "o melhor" de cada coisa.

Seus propósitos são de paz e união. Se a terra continuar a ser dividida – diz ele – acabará deixando de existir. Seu ensinamento sobre a vida repousa no sistema cooperativista e na prática dos preceitos evangélicos.

Por isso, numa página da revista se lê o anúncio de uma cooperativa com este comentário: *"All for One and One for All. None for One that's not for All. Meals ten and fifteen cents. We thank you, Father, for every blessing."*

Outra cooperativa não discute a união de "Um por todos e todos por um", mas agradece, como a anterior, as bênçãos do *Father*, e garante que a limpeza é o seu forte: *"All meals 10 and 15 cents. We thank Father for His Wonderful Blessing. Everything is Sanitary. Our Motto is Cleanliness."*

Numa outra, a influência do *Father Divine* se manifesta pela ideia da equivalência do trabalho e do capital: *"Obey Father Divine and be blessed. Co-workers guaranteed $10.00 and up per week. And we do thank Father for making us one – Capital and Labor."*

Estes anúncios são para se ficar a tarde inteira lendo... Agora um que agradece ao *Father* ter-lhe tornado possível servir refeições a 10 e 15 cêntimos: *"We thank you, Father, for permitting us to sell meals at 10 and 15c."*

Essa mistura de pastéis e divindade faz sorrir, a princípio. Mas quando se considera que a ideia de entrelaçar o nome do *Father Divine* aos anúncios representa um compromisso de seriedade comercial, ao mesmo tempo que sugestiona o vendedor com possibilidade de maior êxito e atrai o comprador pela confiança despertada, vê-se que um fino trabalho psicológico se desenvolve nessa "Missão" que tanto faz sorrir os meus amigos americanos.

Cada palavra do *Father Divine* tem, para os seus fiéis, um poder verdadeiramente mágico. Suas mensagens, lidas durante os banquetes a que comparece, são transcritas na sua revista, comentadas, analisadas, assimiladas em todas as suas linhas e entrelinhas.

Um sopro sobrenatural paira sobre esta gente do Harlem. Uma adepta sugeriu que se substituísse o vulgar "alô" das comunicações telefônicas, pela frase: *"Peace! It's wonderful!"*

O *Father Divine* revoluciona a física; promete um sistema de tráfego, o *Circumference Planet Plane*, que permitirá aos viajantes darem a volta à Terra em vinte e quatro horas, escapando às leis da gravitação e à influência dos diferentes climas.

Nesses projetos, sente-se não apenas o representante de Deus no Harlem, mas o cidadão americano, confiante na ciência. É verdade que afirma "trazermos todos Deus, dentro de nós", mas acrescenta que "o corpo humano é uma casa moderna, eletrificada..."

Compenetrado de sua investidura de Deus e de Pai, o *Father Divine* resolve todos os casos que possam afligir seus adeptos. É conselheiro, médico, advogado, juiz. Vence todas as crises materiais ou morais de seus clientes, arrimando-se na Bíblia, fazendo crer que a boa conduta leva à felicidade, e corrigindo o corpo com a força do espírito. Tem a coragem de não administrar remédios, de modo que não pode ser acusado de matar, como qualquer taumaturgo diplomado. E, exercendo por saber ou sem saber, a cura pela psicanálise, permite, pela confissão pública, uma verdadeira *catarsis,* para alívio de seus pacientes.

O *Father Divine*, como bom deus contemporâneo, entende de economia, finanças e política. Assim, pede a seus adeptos que não guardem o dinheiro, mas corajosamente o lancem em circulação.

Quer a união das Américas, e um só idioma, para facilitar a união dos homens, para a qual muito concorrerá também a ubiquidade resultante do tráfego pelo *Circumference Planet Plane.*

Tem seu cântico:

> *Unite the three Americas*
> *For in union there is strength,*
> *If the Lord your God is for you,*
> *Who can be against?*
>
> *So unify, unify,*
> *On Father's platform take your stand,*
> *And Democracy will be strengthened*
> *By God's Almighty Hand!*

("Uni as três Américas, pois a união faz a força. Se Deus estiver convosco, quem estará contra vós? Unificai, unificai, colocai-vos ao lado do *Father Divine*, e a Democracia será fortalecida pela mão todo-poderosa de Deus.")

Essa confusão de Deus com o *Father Divine* produz-se a cada instante. Ao ler-se uma das suas mensagens, não se sabe quando as palavras vêm do céu ou da sua boca.

Tão longe vai a ideia da união das Américas, no desejo do *Father Divine,* que, além de unidas, pede que estejam sob o mesmo governo e a mesma constituição. Nesse ponto, sua concepção democrática é perturbada, e chega a afirmar que o "sistema ditatorial seria melhor que uma democracia, se a pessoa escolhida para dirigir fosse honesta, justa e correta".

Levado por essas boas intenções, e ansioso de salvar o mundo ou pelo menos as Américas da calamidade desta guerra, não hesitou em redigir um telegrama às autoridades de seu país, sugerindo-lhes a união das três Américas, em "nações unidas da América", como movimento de defesa contra a ameaça europeia. Isso com uma só bandeira e um só idioma. Se não fosse possível essa união, propunha o que anteriormente havia proposto a Hitler, Chamberlain, Daladier, Benes e Roosevelt, em relação à Checoslováquia: que os Estados Unidos "comprassem" a América Central e a do Sul, e fizessem, de todas juntas, uma democracia. Imprimiu-se um telegrama especial, com as três Américas, a bandeira estrelada repetida três vezes e um pombinho de cada lado, carregando um raminho de oliveira.

Se Deus é a Suprema Inocência, este *Father Divine* é mesmo Deus. (Tudo isto admitindo-se que ele age com aquela pureza de espírito que tanto exalta – e que, afinal, bem pode ser que exista mesmo.)

Enfim, este *Father Divine* é uma criatura que dá que fazer à cabeça de uma pessoa normal. Por isso, com certeza, é que tanta gente não quer pensar nele. Contentam-se em sorrir, como fazem as pessoas que se supõem muito ajuizadas, quando recordam um palhaço, um louco, um poeta. Na verdade, ele é um pouco de tudo isso, com a linguagem da Bíblia, e os gestos de Messias que fosse, ao mesmo tempo, um Mecenas.

Rio de Janeiro, *A Manhã*, 17 de fevereiro de 1943

"Toda a América unida para a vitória"

Graças à gentileza da Anna Amélia de Queiroz Carneiro de Mendonça, acabo de receber dos Estados Unidos o Emblema da Vitória, que me envia Evangelina A. de Vaughan, dizendo-me que ele "simboliza todos os anelos da mulher americana, defensora dos ideais democráticos".

Evangelina A. de Vaughan é uma senhora peruana, radicada em Nova York, antiga presidente da Unión de Mujeres Americanas, grande animadora do movimento feminino dos Estados Unidos e em todas as Américas. Um rápido convívio de dois dias fez-se para nós estima de alguns anos, e este emblema que me oferece dá motivo a que a relembre em público e por ela relembre muitas coisas mais.

Ninguém desconhece a importância da ação feminina nos Estados Unidos e – por muito que, às vezes, a sua extensão nos surpreenda – não ouso pensar que ela não seja um grande bem. À ação da mulher americana parece-me dever-se o que se vai salvando de sensibilidade, de graça, de ternura, numa terra de poderosas possibilidades econômicas que, por seu gigantismo, facilmente se poderiam tornar brutais. Sem a mulher americana, certamente ouviríamos falar, do mesmo modo, de cinco, de cinquenta, de quinhentos milhões de dólares e de aeroplanos – com ela, porém, a cifra se acrescenta do estímulo moral para uma luta que não se perca na tentação da luta, mas que se exerça em defesa da paz – e isso é o mais formidável sacrifício prestado por quem só desejaria pregar a paz que impedisse todas as lutas.

Quem se der ao trabalho de observar os Estados Unidos naquilo que representa o mais íntimo de sua formação, verá que o equilíbrio desse extraordinário povo a que – por sua composição heterogênea – faltam as características estáveis de uma nação, é sustentado sobretudo por forças construtivas e defensivas, que lhe conferem um caráter maternal – ao contrário do que se vê na Germânia de todos os tempos, poderosamente masculina em suas afirmações de belicosidade e destruição. Povo de inventores, de eternos estudantes, de industriais. Grandes trabalhadores – com a embriaguez do trabalho, talvez a demência do trabalho: a face criadora da Divindade, iluminando-se, – embora com o aspecto de uma formidável máquina sob um formidável foco elétrico.

A mulher americana é um elemento suavizador, desse meio que o trabalho, temperado pelo esporte, fez demasiado robusto, e a que deu esse contorno excessivo dos corpos atléticos. Uma reunião de homens americanos é coisa razoavelmente insuportável: mistura de comércio e burocracia, com discursos um pouco enfadonhos e ditos de espírito um pouco impenetráveis. Mas a mulher americana inventa mesas floridas, surpresas culinárias, e, ao lado da solidez quase desajeitada desses homens simples, afeitos ao trabalho como se nunca tivessem sido senão operários, coloca o enfeite e a graça da sua presença, bondosa, compreensiva, sempre original e muitas vezes excêntrica – na devida compensação de um ambiente saturado pela monotonia de tudo quanto se estandardizou.

Na América, o homem ganha o dinheiro, – mas a mulher estuda maneiras de usá-lo em benefício social. E, como a ação feminina é, na verdade, eficiente, os dois resultados se equilibram, causando, em tempos normais, o bem-estar dos grupos em que influem.

Com seu prestígio assegurado, cumprindo seus deveres sem essas dúvidas de outros países, onde ainda não se firmou sua autoridade de organizadora e realizadora, a mulher, nos Estados Unidos, adquiriu espontaneidade e naturalidade em suas atitudes, e o seu ritmo de ação é ágil, oportuno, adequado e útil. A certeza do respeito com que é recebido o seu esforço dá-lhe estímulo às iniciativas, e otimismo para as empresas mais árduas. Ao mesmo tempo, o sentimento do seu valor social cultiva-lhe a responsabilidade, e, quando o país necessita da sua colaboração ela é rápida, consciente, orientada, como consequência da disciplina de um exercício anterior, voluntária e harmoniosamente praticado.

Dentro desse vasto quadro em que se movem as atividades femininas americanas, é possível tentar-se, como o fez a *Good Will Delegation* da União de Mulheres, esta campanha de propaganda do Emblema da Vitória. Minha amiga Evangelina de Vaughan foi de Nova York a Washington, chefiando um grupo de nove senhoras, com o fim de oferecer o emblema a homens e mulheres que se têm distinguido na causa do pan-americanismo. Estavam nesse número a sra. Roosevelt; Minerva Bernardino, vice-presidente da Comissão Interamericana de Mulheres; a sra. John L. Whitehurst, presidente da Federação Geral dos Women's Clubs; o dr. Rowe, diretor da União Pan-Americana; e o dr. Pedro de Alba, que tão brilhantemente colabora nessa mesma obra.

Como em todos os acontecimentos americanos dessa natureza, o ambiente foi de festa e entusiasmo: estou vendo Minerva Bernardino receber suas visitas naquele cordial apartamento de New Hampshire, tão pequenino que parece incrível o número de *high balls* que dentro dele cabem; – e imagino a sra. Whitehurst oferecendo, entre discursos, o seu almoço à delegação, naquele suntuoso Mayflower onde, às cinco da tarde, os pares deslizavam, como em sonho, por entre chás e aperitivos complicados. Depois, na *penthouse* do Museu de Arte Moderna de Nova York, estou vendo Evangelina de Vaughan e a sra. Valentine, – a quem se deve a ideia do emblema, – oferecê-lo às consulesas e às senhoras dos clubes femininos que se têm dedicado à obra de solidariedade interamericana.

O emblema teve uma larga propaganda, como é natural: uma vitrina da Quinta Avenida o expôs, enorme, ampliado em cartaz, entre fotografias de todos os países do continente e com uma explicação escrita para esclarecer o transeunte. O "V" que Churchill ensinou aos seus soldados, como um avô ensina um brinquedo aos netos, apareceu em azul, sustentando em seus braços levantados o mapa das Américas. Assim imaginara a sra. Maria José de Valentine, da Venezuela, o desenho de um broche de prata, em esmalte azul e branco, tudo filetado de ouro, com uma legenda de ouro correndo sobre a letra e sobre o mapa: *"All America United For Victory"*.

O mundo sempre esteve cheio de emblemas, cada qual mais belo e impossível: sua vida simbólica não tem sido longa nem profunda, pois, de outro modo, já estaríamos todos mais perfeitos.

Crônicas de viagem I ◆ 49

Há, porém, emblemas que vivem para assinalar um instante de entusiasmo, para caracterizar um partido, ou para lembrar ao portador que precisa cumprir com as suas obrigações.

Para uma mulher americana, a finalidade de um emblema não pode ser nem tão imediata nem tão simples. Aquele seu sentido de construtividade, aquela intenção maternal que preside às suas iniciativas teria de procurar fazer do ornamento de que a moda já lançara mão, para fins utilitários, um pretexto para fins verdadeiramente úteis. De modo que a campanha do Emblema da Vitória se destina a estabelecer, com o produto da sua venda, fundos para bolsas de estudo a serem oferecidas às mulheres das repúblicas sul-americanas que desejarem estudar nos Estados Unidos, preparando-se para *a defense work*.

Isso é o que enternece: multiplicam-se aviões, submarinos, bombas, tanques de guerra e o número dos mortos. Mas as mulheres americanas pensam na resistência, na defesa, na união de todas as mulheres de boa vontade – o que significa uma educação melhor da humanidade futura, uma outra compreensão das coisas, uma estrutura diferente do mundo.

Sem dúvida, os homens querem o mesmo: mas querem-no aos berros, berros de canhão, de altos explosivos, berros de desespero, de sofrimento, de maldição. As mulheres falam com mais brandura, e, em lugar de armas assassinas, aqui estão com o seu broche índigo, branco, azul e ouro. Dizem as criaturas que o céu é dos mansos. As mulheres serão mais ouvidas, por falarem mais baixo; e a elas talvez se venha a dever um dia a construção do céu neste mundo de dores.

Rio de Janeiro, *A Manhã*, 24 de março de 1943

Recordação

Onde estive até agora? Não me lembro. Acordei com este grito estampado na parede: "*Viva Cárdenas!*"

"La Ventura" – diz a estação. "La Ventura!" responde minha alma. *Pacific Fruit Express* – diz o trem.

É um dia deserto, sobre um campo de flores amarelas. Amarelas e brancas. As brancas armam-se em buquês de noiva. Ninguém as vem colher. Apenas vagas borboletas ondulam no jogo do ar e das flores.

Ao longe, estão falando com o céu as palmas do deserto. "*La palma del desierto, señora...*" E o pálido chão se desmorona em si mesmo. Vai sendo cinza, areia? As últimas plantas secam. As últimas casas morrem. Já não têm portas nem janelas nem telhado. Os muros da cor do chão aguardam cair de joelhos, voltar à terra de que foram feitos, retornar ao sem forma anterior, perdida a esperança de abrigar os homens que se foram para longe, carregando suas tábuas. (Por mais sóbria que seja a boca, é um pouco triste não encontrar senão torrões de barro quando tem fome.) Céu, quando choverás? Rio, quando tornarás a aparecer? Onde estais, sementes, dormindo sequinhas?

Outra aldeia. Que nome tem? Avista-se uma escola rural. Cooperativa. Campos secos. Vazios. Calcinados. Vazios? Não. Ainda entre umas dunas amareladas aparece uma vaca, de vez em quando. Uma vaca olha para o céu, com uns olhos que são duas lágrimas grandes. E continua-se.

A forma das montanhas vai serenando... (Por que tanto gesto de pedra e ferro contra um céu que perdeu os ouvidos?)

O trem para. Dizem que andamos por mil e oitocentos metros. Está escrito – "San Vicente". A mil e oitocentos metros, o bezerrinho mira de alto a baixo o menino gordo e amarelo como um chinês. Depois, volta a cabeça para o homem sério que passa. Tão sério. Talvez um professor.

"Vanegas". Agora aparecem as mulheres, estas vagarosas e dolorosas mulheres mexicanas envoltas em seus *rebozos* negros, vendendo frutas. É como um grande luto de sexta-feira santa; e todas lembram a família do Cristo. Erguem uns olhos crucificados, e sua voz é um chorinho manso. Quem compra pêssegos? Quem uvas? E suas mãos se arredondam, simétricas, e ficam imóveis, como se as fossem fotografar.

Um trem cor de chocolate foi transformado em habitação. Saltimbancos do mundo, vinde todos! Vamos todos nesta casa móvel, que tem vasinhos de flores às janelas, vamos nesta longa casa animada deslizar pelos trilhos dos paralelos e meridianos...

Esperai, apenas, que compre este cestinho miniatural do suave menino índio que me diz: "*Lleve Ud. éste, éste, más chaparrito...*" Vede que temos dentro todo o equipamento para viver: cadeiras, mesa, cestinhos e chapéus do tamanho de um dedal, pentes prateados e uma vassourinha do tamanho de uma pena de escrever... Vinde, saltimbancos do mundo! Vamos todos viver em estado de gnomo!

Quem é aquele que acode ao meu chamado? É um porquinho pulando. E, atrás do porquinho, um menino de macacão. Ninguém mais? Ninguém mais? – As casas se alinham sossegadas e baixas, como senhoras idosas, sentadas, conversando da morte recente de seus filhos.

Criancinhas correm de longe. Mas não ouviram o meu chamado... Estendem para o trem a mão em concha, e gritam, no meio da paisagem imensa, com suas vozes longas e finas de pássaro melancólico. Isto, senhores, a mil e oitocentos metros de altura. Ah, vida!

Depois, há umas cercas de flores, com as figuras eternas das mães de filho ao colo: como devia ser entre os assírios, os persas, os egípcios, e entre os de terras desaparecidas.

Daqui a pouco, outra aldeia. Não posso ver o nome: há um vagão parado. Avisto apenas uma menininha de tranças, que anda por ali, com o seu nome na memória, e a sua sorte na palma da mão. Vai, vem, e cheira duas flores.

O seu mundo visível é uma fileira de casas, e o trem.

Ao longe, mas não muito, a montanha, grandona, maternal, ensinando confiança. Não me espantaria que começasse a falar, contando lendas remotas. Mas está quieta, plantada na solidão do campo deserto. Talvez sorria intimamente dos postes telegráficos que se perfilam, magrinhos, insignificantes para aquela grandeza de pedra e de céu.

Desponta o verde de uma pequena plantação de milho.

E o trem roda.

"Coronados": dois burros e três pessoas – total, cinco pessoas. Porque estes burrinhos, meu Deus, afinal de contas têm uma tal humanidade... Vede como viram a cabeça e abaixam as pestanas lânguidas. Falariam, se valesse a pena...

Aparece na paisagem uma pedra que parece o chapelão enorme da terra, ali pousado. Com isso, ficam pequeninas as casas e as igrejas, e um muro que vai andando, pedra em cima de pedra, infinita serpente de pedra ondulando até não se ver mais. A quem vai contar esta longa mensageira, a história da terra seca por onde deslizou seu árido corpo?

Ardentes comidas espalham um cheiro acre que chega até o trem. Ali há um rancho coberto de lona, à margem da estrada. Caras de índios pensativos aparecem lá dentro.

De novo um trem convertido em casa: com gaiolas de passarinho à janela, e vasinhos de flores vistosas.

Vai andando um muro – estas linhas retas que tranquilizam a paisagem. E uma menina abaixa-se colhendo flores amarelas, no caminho ao longo do trem.

Mais para longe, na largueza do campo, bois malhados, perdidos. Preto e branco, preto e branco. Adiante, um burrico e um homem. Amarelo e branco, amarelo e branco. Assim vão andando as cores, duas a duas. Num ritmozinho de brinquedo. Tão grande campo.

Onde foi o cemitério? Já ficou para trás. Aqui jazemos enterrados em tamanha secura. Só temos sol. Consumiu o sol nossa carne. Devagarinho, nos vai queimando os ossos. Seremos bebidos pelo sol. Estaremos entre os dois lábios do sol. Brilharemos no sol. Uma índia velha, ajoelhada, deixou cair suas lágrimas na terra quente como um forno. Evaporaram-se logo – e quem estava dentro não soube dessa terna chuva. O sol bebeu também as lágrimas. Também as lágrimas brilharão entre os dois lábios do sol.

E eis que entardece. Assim é. Entardece. Esfria a cor do alto céu. Vai ficando uma palidez sobre as montanhas. E as formas voltam para o ponto certo em que devem esperar sua noite. Olhai, antes que escureça muito: o homem com o burro pela rédea vai procurando o caminho mais fácil. Entra nas ervas, passa pelas flores, afasta-se das palmeiras, lá vai...

Uma tropa com caixas. De onde vieram, que regressam tão serenos? Trazem as soluções dos problemas? Os chapelões aproximam-se, abaixam-se, levantam-se. Andam perto muitos cabritos.

A sombra vai descendo, descendo, em cinza fina. E enche o vale onde outrora dormia o rio. Não mais o rumor da água cantando para adormecer. Homens e animais olham para aquela secura com uma saudade de coisas transparentes, móveis, frescas, de espumas, libélulas, sussurro, umidade, flores suaves...

Depressa vai o trem. Antes que anoiteça, avistarei casas, cactos enormes, duras flores vermelhas. Avistarei muros com portas de pau. Onde está o invasor? Quem vem lá? Quem ameaça? Para quem estão as portas fechadas, e os muros alinhados, frágeis e comoventes?

Vai o indiozinho caminhando, caminhando, com aquela sua maneira desconfiada e estratégica, com um braço para trás, segurando o outro acima do cotovelo. Pé aqui, pé acolá, por entre agaves, por entre cactos. Acompanhando o burrico, ou puramente com a sua imaginação, vai caminhando cauteloso o indiozinho.

De repente – que aconteceu? Onde está o inimigo, o fantasma, o demônio? – o indiozinho abre a correr pelas pedras, pela terra, por cima das plantas, depressa, depressa... O campo está igual. O céu, o mesmo. Um vento suave alisa a última nuvem, a última palmeira, e despede-se. O indiozinho para a sua corrida, retoma o seu passinho habitual, vai indo outra vez como antes. O fantasma passou, o inimigo acabou-se, o demônio desfez-se. Se lhe perguntassem o que aconteceu, ficaria admirado, olhando. Porque aquilo era o sonho dele... – nada mais. E ele... ele... que é mesmo ele, – naquela vastidão, amamentado por uma montanha de ferro, bebido pelo sol imortal?

Então, as sombras vão-se encostando umas às outras. As cabanas somem-se no obscuro plano de cinzas. Deixam de brilhar as flores vermelhas dos cactos. Sobre a montanha imensa, que continua, que continua, brilham agora e passam para longe, brilhando, imensas estrelas... – Que saudade, México!

Rio de Janeiro, *A Manhã*, 31 de março de 1943

Felicidade

CHINATOWN, 1940 – Criancinhas de olhos oblíquos atravessando a rua, por onde se alonga, vagarosa, a sombra dos gatos. Muitos restaurantes, avançando vitrinas com planturosos legumes exóticos. Subsolos transpirando cheiros de outra cozinha e de outra humanidade. Cartazes oscilando ideogramas pretos. Gente amarela pelas portas, conversando baixinho, de assuntos que parecem datar de uns dez séculos. Transeuntes veneráveis, enrugados como essas esculturas de marfim que se empoeiram nas lojas dos antiquários, entre torres de elefantes superpostos e deuses risonhos e gordos, em barcos de meia-lua.

Que pode o dinheiro do turista pobre, diante dessas coisas inesquecíveis que estão sussurrando com modéstia, frágeis e eternas: "Leva-me contigo! Sou tão pequena que chego em qualquer parte, e nunca te desencantarás de mim, porque na verdade não presto para nada..."?

E as coisas se amontoam, intermináveis: blusas e pijamas bordados com ramos de macieira e pássaros multicores; campainhas, sinetas, gongos, metais e músicas esperando em cada reflexo o instante da vibração; ventarolas que trazem, na aragem, lagos, pontes, carpas; sandálias que sabem de cor "O caminho que é um caminho não é o verdadeiro caminho..."; louças que são o retrato esmaecido e deformado de magnificências passadas; palitos para comer arroz; lanternas que a luz acorda em dálias vermelhas e azuis ou em interiores tranquilos, com donzelas chinesas de cabeça vergada para o ombro.

A rua matinal, com um ventinho que revolve brandamente o lixo, tem o jeito das coisas familiares da infância: naquela esquina – Margarida, Dulce, Leonor! – poderíamos todas pular corda; e aquele bom chinês que vai passando é um avozinho que sabe contar histórias do Oriente, à hora em que a fumaça do chá vai amolecendo a manteiga das torradas...

A China tumultuosa aqui faz seu remanso: espuma de vaga retorcida impetuosamente em praia remota, desmoronando-se neste silêncio carregado de lembranças. Tudo isto é a imagem desgastada de uma terra poderosa e de um povo ao mesmo tempo lírico e terrível; as porcelanas famosas repercutem nesta loucinha frágil e recente; as sedas célebres se reproduzem em retratos pálidos, de tradicional padrão; os marfins e as lacas se transfiguram em precários vernizes e em artefatos de osso.

A loja é ampla, e sua sombra fresca e arejada como a das árvores. Nenhum comprador. No fundo, como um ídolo, o dono da casa, amarelo, esguio, de dorso levemente arqueado. Infelizmente, vestido à europeia e sem rabicho. Uma espécie de cearense triste, olhando para a frente, para a porta da rua, com um olhar que tem quilômetros de comprimento, e existe desde um tempo incalculável.

Aproxima-se de mim, cortês e sério, e não me fala. Minha sombra não é mais discreta e exata. Caminhamos a par. Viajo entre perfumes de carvão oriental e flores abundantes, pintadas em pano e papel.

De vez em quando, pergunto-lhe um preço. E uma fina voz, transparente, longínqua e melodiosa, me responde com doçura. Guizo onde tremula um pingo de mel. Tão distante como se viesse por telefone, de Pequim. Tão pura como se o espectro do próprio Confúcio me estivesse falando...

Este alfanje de osso também me interessa. Tem um palmo de comprido, e serve apenas para abrir livros. Termina com um elefante de perfil sobre um lótus. E na lâmina tem uma inscrição em três caracteres, recortados de lado a lado. "Quanto é?" A voz de prata e mel se arredonda, levíssima: "Quinze *cents*." Fico mirando a lâmina branca. Tão simples, tão modesto, tão bonito. Quantos séculos precisa um homem do povo, um operário anônimo, para talhar num osso a imagem e o símbolo dos sonhos? E como é possível trabalhar-se por um preço desses?... – China imensa... "*Good earth*"... Pearl Buck...

"Que está escrito aqui?" – pergunto à minha suave sombra. "*Be happy*". E a loja reentra no seu grande silêncio. Como devia ser nos templos, depois de falarem os oráculos. De um lado e de outro, com um sorriso perpétuo, estão fiando tempo e felicidade os deuses e os imortais, as princesas e as dançarinas esculpidas em pedra untuosa.

"*Be happy*". Isto é a vida; atravessa-se o mundo trabalhando duramente, construindo a verdade, distribuindo ternura, inventando beleza, e ninguém que está perto repara. E se repara, muitas vezes ainda é pior... Mas um dia chega-se à casa de um Uang que nunca nos viu, que não sabe o nosso nome, e pousa a nossa mão num objeto maravilhoso em que se encontra à nossa espera, rendado em linguagem secreta, o voto de felicidade que o maior amigo nunca formulou...

Agradeci a resposta como se a inscrição tivesse sido aberta especialmente para mim.

Nenhum freguês entra na loja. Deve ser muito cedo ainda, para aqueles lados... O vento e o sol dão cambalhotas pela rua, junto com os gatos e as criancinhas amarelas. Um chinês velhíssimo franze a testa, sob uma nesga forte de luz. Está consultando o branco dragão da nuvem que se enrosca lá em cima, no campo de anil? Chineses moços, imberbes e arredondados decifram na esquina o jornal afixado à parede, com retratos de Dorothy Lamour entre caracteres orientais.

Dentro do meu pacote cor-de-rosa, entre um pouco de perfume e um pouco de seda, uma doce voz vai cantando para todos os lados: "*Be happy!*"

"*Be happy!*" – para o chinês gordo, que passa de avental, recendendo a arroz de galinha. "*Be happy!*" para os avozinhos trôpegos, que procuram com a ponta do bastão a pedra da calçada. "*Be happy!*" para os repolhos e para os pimentões, para os cartazes de cada porta, para o lixo e para as moscas. "*Be happy!*"

Não digo adeus a Chinatown. Digo-lhe: "*Be happy!*" com os três caracteres de uma espátula de osso em cuja ponta um elefante navega numa flor de lótus. Um elefante de perfil, manso e gordinho. Um elefante nutrido a leite, coco, amêndoa. Um elefante que, ao anoitecer do mundo encantado, certamente se encolhe nas pétalas brancas, para sonhar luas, com pérolas de orvalho borrifando-lhe as pálpebras finas. "*Be happy! Be happy!...*" – devia cantar o dono dos elefantes e dos lótus, para o adormecer...

Dentro do embrulho cor-de-rosa, a lâmina de osso irradiava felicidade. A que animal ditoso teria cabido a sorte de deixar um osso privilegiado, em que se gravasse voto tão sugestivo? Ah! fosse qual fosse, devia estar no paraíso dos bichos, e o seu ectoplasma palpitaria movido por aquela energia poderosa: "*Be happy!*".

Andei por outras lojas, subi por elevadores, vi hotéis, universidades, campos de algodão, florestas, rios, gente muito variada... – mas da testa dos senadores ao queixo dos polícias, e do olhar dos poetas ao ventre dos capitalistas uma chuva de flores invisíveis descia por meu intermédio: porque eu era aquela que levava consigo o branco talismã prodigioso com o lótus, o elefante, e os três caracteres da felicidade.

Nenhum mar me causaria medo; nenhuma raça me assustaria. Entre filipinos, ingleses, sul-americanos, a palavra mágica deslizava certeira. Estampava-se na alvura das bolas de pingue-pongue; imprimia-se no acordeom dos salva-vidas; saltava no dorso dos peixes voadores; dançava de onda em onda, de estrela em estrela, até os confins do oceano e do céu. Quando os negros de Barbados mergulhavam para apanhar níqueis, a inscrição afundava com eles – e traziam dólares. O navio chamava-se *Felicidade*. E corria entre dois discos azuis com o mesmo nome.

Afinal, um dia, entre os meus papéis, a espátula branca, com o lótus e o elefante, fez aparecer sobre a mesa os três caracteres abençoados. E era como aquelas esferas de cristal em que se lê à distância: olhando-a, aparecia-me Chinatown, com a loja de Uang, as crianças amarelas, os gatos vagarosos, os legumes coloridos e obesos, os velhinhos procurando as nuvens e o chão...

*

Deixei a espátula num divã, perto do livro que estava lendo. Veio alguém, sentou-se, e depois encontrei a lâmina partida. Bem pelo meio dos três caracteres. "*Be happy!*" ("Não tem importância... Uma coisa à toa... Quinze *cents*...") E nem se falou mais nisso. Quem vai falar duas vezes de uma coisa que custou quinze *cents*? Apenas, não pude jogar fora os dois pedaços de osso. Isto não se cola, não se amarra, não se emenda... Só com a imaginação... Oh! sim, a imaginação gruda todos os pedaços separados...

E é isto, a vida: traz-se da loja de Uang a mensagem que faltava. E de repente parte-se pelo meio. "*Be happy!*" (Na verdade, era uma coisa muito delicada: uma renda recortada num osso...)

Rio de Janeiro, *A Manhã*, 7 de abril de 1943

Hotel de verão

Era mesmo monótona, a vida no hotel. Pela manhã, acordava-se com o tilintar das campainhas das charretes e o plec-plec dos cavalos de aluguel.

Abria-se a janela: um amplo céu derramava-se pelas verdes montanhas, e a chuva da noite gotejava ainda das folhudas árvores do jardim. Cristalinos pássaros; leves borboletas; abelhas entretidas com as redondas papoulas, – côncavas, irisadas, finas taças de seda.

O menino de sapatinhos azuis, acocorado, a espiar o caminho das formigas. O criado, batendo os grandes tapetes, num canto do jardim. Os velhotes de gorro, paternais e friorentos, preparando a garganta para a conversinha interrompida na véspera.

Vinha-se pelo longo corredor em desalinho, e pelas portas, os sapatos engraxados repetiam a expressão insolente ou melancólica de seus donos. Cruzava-se com as arrumadeiras de preto e branco, já carregando bandejas de café; descia-se a escada em cotovelo, com o tapete fora do lugar; atravessava-se uma sala de jantar de cortinas azuis, e alcançava-se o bar, que era recente e parecia um compartimento de navio, com o seu teto envernizado e suas mesinhas de toalhas escocesas.

Todos os dias era realmente a mesma coisa: mate, chá, café, leite, pão, bolachas, manteiga, geleia. A geleia, na verdade, tinha nomes diferentes, mas a única verossímil era a de morangos, por causa dos carocinhos.

Já se sabia quem vinha para a mesa às sete, quem vinha às nove. Já se conheciam todas as roupas de todas as pessoas, e todas as atitudes à mesa: os que molhavam o pão no café com leite, os que comiam com os cotovelos para fora, os que espalhavam o açúcar na toalha. (Porque era ainda na idade do açúcar.) Enfim, não havia mais surpresas – como dizem ser um ano depois dos matrimônios.

Findo o café, os velhotes sentavam-se pelos bancos, a tomar sol; os moços saíam para passeios a cavalo ou em charrete; os meninos iam brincar na pracinha em redor da igreja, – e um grande silêncio envolvia o hotel, junto com o sol ardente, a brisa fresca, as borboletas, as cigarras e o aroma sereno dos pinheiros. Os passarinhos pousavam sem medo na sombra dos velhotes sonolentos e felizes.

Pelas onze horas, começavam todos os hóspedes a regressar. Charretes amarelas e azuis entravam como brinquedos grandes pelo jardim tranquilo; as máquinas fotográficas chegavam, a tiracolo, de pálpebra fechada, ruminando cascatas, montanhas, mocinhas de pijama e rapazes de boné; os cavalos resfolegavam, suados; e então os bons velhotes se levantavam, – porque eram muito corteses, e gostavam de perguntar pela saúde dos seus semelhantes.

Uma hora depois, todos se encontravam na sala de almoço, de roupas mudadas, com os cabelos lustrosos, e um ar esportivo de anúncio turístico.

Ninguém reparava mais na jarrinha da mesa, que era tão feia, nem nas suas flores, que eram tão bonitas. Ninguém reparava na rodela de manteiga, no pãozinho redondo, no copo d'água, nos palitos – tudo era assim desde o primeiro dia, seria sempre assim, e essa paz da mesmice quem ousaria perturbar?

Depois do almoço, todos se recolhiam aos seus quartos. Um fulgurante sol abrasava gerânios e sempre-vivas, corava mais as papoulas e afugentava as borboletas. Calava-se o rumor das charretes e dos cavalos. Crianças, velhos, todos desapareciam. Só o porteiro sonolento ficava de guarda, na sua cadeira imemorial, com uma farda azul-marinho de galões dourados. Por cima de postais com montanhas e cascatas, uma abelha extraviada zunia. Na sombra, a folhinha marcava o dia, e o velho relógio – pra cá, pra lá – contava as migalhas de cada minuto.

A sesta durava umas duas horas. O porteiro espreguiçava-se. Reapareciam as senhoras, os moços, os cavalos, as charretes. O hotel animava-se outra vez com projetos de passeios, e alguns românticos, reunidos em torno do piano amnésico, teimavam em arrancar-lhe valsas lentas e lacrimosas, do começo do século.

Tudo era exatamente assim, todos os dias.

Nas casas próximas, as senhoras, sentadas à varanda, em cadeiras de balanço com encostos de crochê, cosiam, tricotavam, conversavam, enquanto os filhos, de pastinha penteada, saíam de bicicleta pela rua abaixo, até a igreja, até a farmácia, até o cinema. As chaminés lançavam um penacho de fumaça que ia subindo como uma escadinha de nuvem pela floresta acima.

Depois, o céu escurecia, vinham nuvens tumultuosas de todos os lados, os trovões roncavam entre os picos da serra. Quase todos voltavam às pressas, e as vizinhas gritavam em várias línguas pelos seus meninos: – Jean! Peter! Fritz! – e os que estavam em casa vinham para as janelas e para os terraços ver a chuva cair, como na véspera e no dia seguinte: uma chuva de meia hora, que deixava depois clarões de prata no céu e um grosso orvalho em cada folha e em cada flor.

Enquanto se evaporava o calor cheiroso da terra molhada, bimbalhavam as campainhas, trotavam os cavalos, e Fritz, Peter e Jean tornavam a sair com suas bicicletas vertiginosas.

A noite caminhava do céu para as montanhas, das montanhas para a floresta e da floresta para a cidade. A noite entrava no hotel. Acendiam-se as luzes, amarelas e frouxas, mudava-se a roupa e descia-se para o jantar.

Ninguém mais prestava atenção à entusiástica música dos sapos e dos grilos, entre os gerânios e os tinhorões. Depois do jantar, todos voltavam às mesmas conversas, com o mesmo sorriso, ou saíam para os mesmos lugares, com o mesmo andar.

Mais tarde, as janelas fechavam-se, os olhos fechavam-se, e o hotel dormia entre as árvores. Na vidraça negra do céu, as estrelas colavam desenhos de neve.

*

– Isto é uma calmaria... – dizia um velhote que tinha sido navegante. Na verdade, se o hotel fosse um barco a vela, não se mexeria do lugar... – Calmaria boa... – continuava. (E viam-se tufões antigos nos seus olhos cinzentos.) Olhava para longe, para longe, como por dentro de um binóculo invisível. Sorria sem mostrar os dentes. Seu sorriso fazia silêncio e tranquilidade em redor.

Mas uma senhora que lia romances franceses queixava-se: – Isto é um verdadeiro horror!... E explicava: – Só se vem para um lugar destes porque é verão, e que se há de fazer, senão ir para qualquer lugar? Mas é um horror... Todos os dias a mesma coisa. Tudo igual. Falta vida, animação, ruído, novidade... qualquer coisa sensacional! Ah! eu abomino os lugares assim!... – E saía, abanando a cabeça, marcando com o dedo a página do romance que estava lendo.

Excluídos os que andavam todo o dia fora, em passeios e brincadeiras, os habitantes do hotel se dividiam nesses dois grupos: os da calmaria e os da tempestade.

*

Mas, um domingo, chegou de longe uma família com três meninas. A família esfumou-se logo num último plano indistinto: um grisalho varão de imponentes bigodes brancos, uma frondosa senhora de véus. As três meninas é que se precipitaram sobre o hotel como risonhas cariátides.

Logo que saltaram do automóvel, todos ficaram sabendo que se chamavam Teresa, Francisca e Leonor. Eram como um ramo de cravos portugueses, como uma bandeirinha de papel que dissesse: "Ai!"

Mal disseram: "Ai que lindo!", quem estava em seu quarto abriu a janela para ver o que acontecera.

Teresa, Francisca e Leonor deviam andar pelos dezoito anos. Subiram pelas escadas e encheram os corredores com o seu tropel. "Ai que rico!"

Abriram-se as portas, para se saber o que havia. Havia Teresa, Francisca e Leonor.

Debruçaram-se em todas as balaustradas, olharam para todos os dormitórios, miraram todos os quadros e espelhos, todos os tapetes e cabides, e todas juntas exclamaram: "Ai que beleza!"

Desceram pelo jardim, bisbilhotaram entre as rosas, experimentaram os bancos sob as árvores, investigaram as pereiras, entraram pela sala de jantar, saíram pela de almoço, espiaram pelas vidraças do cassino, invadiram a biblioteca, mexeram nas revistas de cima da mesa, buliram nos cinzeiros, tiraram as flores dos seus lugares, – e quando viram as crianças que brincavam ao pé do piano, exclamaram: "Ai Jesus, quantos miúdos!"

Os velhotes limparam os óculos para ver melhor; as senhoras foram procurar nas carteiras os *lorgnons* esquecidos; as crianças pararam de brincar; as empregadas chegaram, com travesseiros e bandejas na mão; e o menino da lavanderia ficou de braços abertos, parado como um espantalho, com um cabide de roupa em cada braço.

Teresa, Francisca e Leonor cavalgavam pelo jardim, entravam pelo bar, liam os rótulos das bebidas, penduravam-se pelas grades, berravam para os cavalos; e, quando, à noite, entraram para o jantar, os hóspedes todos já estavam à sua espera, e comeram de pescoço torcido, sem poderem tirar os olhos daquela mesa singular.

Sob a luz frouxa, as três meninas brilhavam, reluziam, redondas e ruidosas. Tinham olhos redondos e ardentes de pássaro palrador; seus rostos eram esculpidos como as frutas, e tinham as cores naturais e alvoroçantes da madrugada.

Depois do jantar, abriram o piano com estardalhaço, abanaram-no até caírem como poeira todas aquelas valsas lacrimosas, e então inventaram outras coisas, que só elas sabiam, e que eram extravagantes, e causavam uma espécie de frenesi. Descobriram as mesas de pingue-pongue, e bateram bola com sofreguidão. Experimentaram todas as estações de rádio, – sem que ninguém se atrevesse a um protesto. Acabaram, afinal, debaixo de uma árvore, num trio que desmoralizou as tradições de silêncio não apenas do hotel, mas da cidade inteira.

Ninguém se deitou às nove horas, como de costume. Os velhotes sorriam paternalmente; os rapazes se desinteressavam pelas antigas companheiras; as crianças recusavam-se a ir para os quartos. Onde, a calmaria? Teresa, Francisca e Leonor sacudiram o hotel de alto a baixo, como um formidável pé de vento.

Nunca mais se pôde ouvir uma campainha de charrete nem um relincho de cavalo, ao amanhecer; porque, antes dos passarinhos, Teresa, Francisca e Leonor já berravam pelo jardim, pelas varandas, pelas janelas, pelos corredores, pelas escadas, pelas ruas...

Todas as imagens da alegria, da juventude, da delícia de viver jorravam dessas três meninas, como de três repuxos mágicos. Cintilavam cores nas suas mãos – eram um fogo de artifício interminável. Toda a música do mundo vibrava nesse triângulo fantástico. Eram divinas e grotescas: resumiam a seiva deste mundo turbulento, inquieto, desgraçado e maravilhoso.

Mas a senhora que lia romances achou aquilo "francamente, um escândalo!" Fechou suas malas e foi procurar um lugar mais tranquilo.

E o antigo navegante, o que amava o sossego definitivo, o das calmarias, o dos enevoados horizontes, – mudou de boné e, agora, quando sorria, olhava para perto, para perto, e mostrava todos os dentes!

Rio de Janeiro, *A Manhã*, 12 de maio de 1943

Encontros

Sempre recordo com emoção uns dias passados em Moledo da Penajoia, velho lugar de Portugal, de que os textos já falam aí pelo século XIII. Passei por essa paisagem de vinhedos e barcas, literalmente, "entre cantigas". Aos domingos, em rodas ao ar livre, rapazinhos, de cravo ao peito, raparigas, de tranças pretas, cantavam sob uma varanda em que eu vinha pousar para os ouvir. Naquele tempo, eram eles que me causavam saudade – uma saudade enternecida do Brasil, que iam despertando, entre voltas de dança, ao ritmo de cantigas comuns. Cantavam:

> O meu chama pelo teu,
> e o teu de quem será?
> O meu chama pelo teu.
> O teu por quem chamará?

E lembravam-me a trova do Norte:

> Meu coração já é teu,
> e o teu de quem será?

> Só desejava saber,
> para direito te amar.

Seria impossível transcrever aqui todas as trovas recolhidas na Penajoia que possuem correspondentes no Brasil. Mas folheando os nossos cancioneiros vem-me agora uma saudade tão doce daquelas figurinhas risonhas que se entretinham a tarde inteira em desfiar suas relíquias sentimentais, sem saberem como estavam transmitindo ao futuro, à eternidade do sonho, a herança lírica de tantas gerações!

> Eu fui ao mar de joelhos,
> de joelhos fui ao fundo,
> por via de ti, menina,
> eu ia ao cabo do mundo.

Como na trova brasileira:

> De joelhos caí n'água,
> de joelhos fui ao fundo,
> de joelhos ando penando,
> meu benzinho, neste mundo.

Diziam os da Penajoia:

> Inda hoje não vi Ana,
> nem ao jantar nem à ceia;
> que é da minha rica Ana,
> que é da minha casa cheia?

Romero tinha recolhido em Sergipe esta curiosa transposição:

> Cadê a luz de meus olhos,
> cadê esta casa cheia?
> Qu'inda hoje não o vi,
> nem na janta nem na ceia?

Na Penajoia, o sol promete fitas à lua; no Brasil, promete flores:

> O sol prometeu à lua
> uma fita de mil cores;

quando o sol promete prendas,
que fará quem tem amores?

Mas, cá e lá, serve de exemplo aos namorados:

O sol prometeu à lua
de dar-lhe um ramo de flor;
quando o sol promete prendas,
quanto mais quem tem amor!

Recordo a voz brejeira que dizia:

Quem diz que o amor que enfada,
é certo que nunca amou;
eu amei e fui amada,
nunca o amor me enfadou.

Como ia saber a suave cantadeira que deste lado da terra o eco das suas
palavras repetiria:

Quem diz que o amor custa,
é certo que nunca amou;
eu sempre amei, fui amada,
nunca o amor me custou.

Até a mitologia vinha aos lábios dos meus vizinhos líricos:

Quem pintou o amor cego,
não o soube bem pintar;
o amor nasce dos olhos,
quem não vê não pode amar.

Mas estou certa de que achariam muito mais aperfeiçoada a quadrinha
do Brasil:

Quem pintou o amor cego
não o soube bem pintar...
O amor nasce da vista,
depois é que faz cegar...

Se eles me pudessem agora ouvir daqui, como eu os estou sempre ouvindo, sorririam surpreendidos da variedade que alcançou a sua trova:

Eu fui ao mar, aos peixinhos,
com uma bandeja de prata,
tomar amores não custa,
deixá-los é o que mata.

Sorririam, primeiro, da transição da cantiga, com imagens tradicionais d'aquém e d'além-mar:

Laranjeira ao pé da serra
bota raízes de prata;
querer-te bem não me custa,
mas deixar-te é que me mata!

A folha da laranjeira
de noite parece prata,
tomar amores não custa,
a separação é que mata.

Mas, depois, seria outra paisagem, a paisagem da terra tropical que se desenharia, atraente e nostálgica nesses olhos navegadores que são os de todos os portugueses:

Ó que coqueiros tão altos,
com três coquinhos de prata!
Tomar amor não é nada.
O apartamento é que mata!

Há no encontro das cantigas idênticas uma alegria só comparável aos encontros humanos dos que estão destinados ao entendimento e ao amor. Ponho-me a pensar nessas criaturas longínquas, que me apareciam aos domingos tão lavadas, tão brilhantes, tão alegres "como a rosa das roseiras". Umas estarão casadas, dizendo:

No tempo em que era solteira
usava fitas e laços,

agora que sou casada,
trago meus filhos nos braços.

Outras, suspirarão:

Eu me casei por um ano,
a ver a sorte que tinha,
o ano vai-se acabando,
quem me dera solteirinha!

Alguma talvez me esteja pedindo numa das suas mais belas trovas, que é uma das mais belas trovas portuguesas:

Se passares pelo adro,
no dia do meu enterro,
dize à terra que não coma
as tranças do meu cabelo.

Talvez ainda lá se encontre o rapazinho que dizia às moças:

Eu hei-de ir para o Brasil.
Portugal já me aborrece;
também tenho no Brasil
quem por mim penas padece.

E daqui lhes mando os versinhos que eles mesmos cantavam:

Quem me dera agora estar
onde está meu pensamento;
desta terra para fora,
do Moledo para dentro.

Esse seria um encontro feliz. As cantigas de roda põem-nos todos de mãos dadas. E ao ritmo da tradição comum todos nos sentimos compreendidos mutuamente e mutuamente amados.

Rio de Janeiro, *A Manhã*, 12 de junho de 1943

O *Bariloche*

Desde o princípio, o *Bariloche* teve um ar lendário: "É pequenino assim..." – dizia o amigo argentino, mostrando a ponta do dedo. "E o capitão recita Olavo Bilac e Rubén Darío..." – o que sugeria um ambiente muito sedutor.

Em seguida, falava da recendente cozinha do *Bariloche*, com esse jeito de especialistas em iguarias que assumem, quase sempre, os navegantes aposentados. (Ah! como recordo o capitão que me descrevia um guisado de lagartixas, certa vez, em terras do Oriente...!)

O almoço no *Bariloche* foi num meio-dia cinzento. A cada instante, quando nos dirigíamos para o porto, o amigo argentino, inquieto, mirava o relógio de pulso: com qualquer atraso se esfriariam os canelones, preciosidade culinária do cargueiro.

"É pequenino assim..." – repetia, desculpando-se. "Não se pode convidar muita gente..."

E quando chegamos ao porto, fechando as capas e as pálpebras sob a garoa salina, avistamos na fria cerração um barco sueco tão branco, tão alto, que os corações marinheiros não podiam deixar de sentir um abalo – esse transe, essa emoção de ouvir apitos de sirenas e logo o pulsar das máquinas, esses enormes, secretos corações do mar.

"Ali está!" – O *Bariloche*, perto do grande navio, igual aos cisnes marinhos dos *vikings*, era apenas uma prancha à flor das águas; e não se tinha a impressão de subir para bordo, mas de descer para o fundo das águas, quando se caminhava para ele.

Nas escadas íngremes, era preciso colocar os pés de lado; e, de tão estreitas, apetecia descer por elas como fariam as crianças, deslizando de alto a baixo, agarradas aos corrimãos.

Éramos quatro visitantes que, com os três oficiais de bordo, fazíamos um tropel de invasão naquelas madeiras que cheiravam a óleos grossos, entre aquelas vidraças onde um mar nevoento vinha bater suspiroso e tênue.

Enchíamos a sala de jantar, movimentados e ruidosos, despindo as capas orvalhadas de chuvisco. E o ambiente despertava um gosto de aventura saudável, por mares difíceis, assaltados por monstros bravos, com vento salgado pelos cabelos, turbulência de ondas no convés, e a música das roldanas, áspera e forte, que tem estranho poder sobre os que verdadeiramente amam viajar.

A mesa estava posta, e era simples e familiar: todas as coisas pareciam já conhecidas, e os seus lugares, e o seu uso – menos o lustre, que equilibrava, em redor da lâmpada, o azeite, o vinagre, o sal e a pimenta como quatro planetas nos braços de um galheteiro.

O amigo argentino já discutia massas italianas, e já surpreendia o aroma dos canelones subindo do fogão submarino.

Havia três oficiais: um parecia tímido, e sorria, sem falar; outro, era gentil, e falava sorrindo; mas o terceiro era aquele que, em encarnações anteriores, andara com Simbad e Marco Polo, com Fernão Mendes Pinto e o Magalhães; esse sabia histórias fabulosas, que contava cerrando os olhos – mercadorias fantásticas, naufrágios, ilhas mágicas, barcos fantasmas... Quando lhe perguntaram quantas pessoas havia a bordo respondeu com uma vasta ironia: "Quantas pessoas... não sei; mas somos dezoito tripulantes." E era uma espécie de gigante fanfarrão que, embora vestido como os demais, trazia, invisíveis, mas sensíveis, um lenço pela cabeça, uma faixa pela cintura, um brinco na orelha, e em qualquer parte um punhal. Suas gargalhadas e suas cóleras deviam desconjuntar o barco e as ondas, suscitar tempestades, pôr em fuga peixes e nuvens, assustar as sereias, e desgostar o sereno Zéfiro, esse poeta aéreo que gosta de conduzir belamente as embarcações.

"A senhora também me acha com cara de turco?" – perguntou-me.

Foi quando chegou o capitão, com sua voz sussurrada, e uma figura tão sóbria, de movimentos tão calmos, que logo se apaziguou a tormenta balcânica do primeiro oficial.

Os homens do mar têm seus luxos: águas-de-colônia, caixas de biscoitos, garrafas de gim... O capitão sentava-se, apontava o seu uísque, num canto da prateleira, oferecia o sal suspenso nos braços do lustre, e começava a sorver uma canja muito branca, dizendo umas raras palavras, em diversos idiomas.

Todos esperávamos que ele recitasse poesias brasileiras, em homenagem aos convivas; mas ninguém se animava a falar nisso – e ele narrava coisas longínquas, ocorridas há muitos anos – festas orientais, guerras, coroações de príncipes, óperas, pescarias antigas...

As pálpebras do capitão levantavam-se e caíam como o pano de boca dos teatros: apareciam reis, balaustradas, dançarinas, coqueiros – em italiano, em inglês, em francês, em espanhol... Mas tudo estava tão coberto de tempo que, ouvindo-o, precisava-se ajustar a memória como um binóculo, no sonho.

Os vinhos que começavam a circular tinham também sua história – nomes de pessoas e lugares, relatos vagarosos de fabricação... E cada um, ao degustá-los, recordava outras coisas, longe de vinhos e vinhedos, por lânguidas estradas de perdidos acontecimentos.

A cozinha continuava mandando suas enormes travessas repletas: sem a ordem estabelecida na etiqueta comum – porque a gente do mar tem seus hábitos, sua fome segue outros ritos; no mundo das águas se esquecem os usos fixados em terra; a mesa tem uma plenitude diferente, e reparte-se de outra maneira.

Por fim, vieram os canelones. Estavam deitados um ao lado do outro, como os irmãos do Pequeno Polegar, enrolados em seus cobertores de farinha de trigo, e cobertos de queijo e molho de tomate.

Todos já estavam muito animados; mas o capitão discorria tranquilamente sobre a origem dos canelones, com sua voz pausada, suspirada, trabalhada por viagens e viagens. E durante um certo tempo não houve neste mundo senão massas italianas, finas e plásticas, que se adelgaçavam em palavras, endureciam formando árvores, casas, navios, depois eram fluidas e se balançavam em ondas e torrentes... E nós éramos estátuas de trigo, pisando trigos, perdidos na terra e depois reencontrados e ressuscitados. Acompanhava-nos um vago recheio de raviólis, pastéis, canelones – este peso pequeno de carne que também somos, desprezado por Ceres.

E de novo vieram canelones, aconchegados, quentinhos, protegidos por um espesso creme que os afogava em luar e queijo parmesão.

A travessa despovoava-se, caminhando em redor da mesa. A sala fechada ficara tépida e tomara o abrigado ar caseiro da existência em comum.

Depois, os homens de bordo acenderam seus cachimbos, e houve um instante de quietude: apenas se sentia o mar sem fim, naquela tranquilidade reclusa, com a luz cinzenta do nevoeiro pregada nas vidraças.

Cada um de nós estaria pensando nesse estranho encontro de vidas diferentes, em redor da mesa do *Bariloche*. De muitas nações, de muitas origens, por muitos caminhos, cada qual chegava ali, sentava-se, vivia por alguns instantes, com um grave carinho, a emoção de comer com alegria, e um certo nervosismo, – como nos dias de partida, quando se espera nos barcos o grande apito final, e a corneta de aviso pelos corredores.

Por essa altura, o capitão, que se pusera tão lírico, recordava perfumes franceses, *Clair de une*, *Rêve d'amour*, que tinham nomes de valsa, e cujo odor só ele podia discernir, entre as sedas gastas do passado.

Antes de baixar ao convés, passamos pela biblioteca. Os homens do mar têm seus luxos: o binóculo, os mapas abertos, a leitura que vai armando paisagens e conversas no fumo doce do cachimbo.

O capitão do *Bariloche* ainda amava Loti. Com que ternura murmurava seu nome, com um dos seus livros na mão, e os olhos perdidos na névoa da tarde chuvosa! Como estava ali vivo, presente, viajando por outros mares, esse amigo da nossa juventude, esse marinheiro sem fim que um dia sempre nos aparece, entre os rolos de cordas, à proa do barco em que navegamos! "Ah! Loti..."

Que mais precisávamos dizer, nós, os do mar, depois de penarmos um instante naquele dono das ondas, transitório...?

Podíamos descer agora pela sala das máquinas, tão limpa, tão prateada como um instituto de beleza; podíamos ver queimar-se o milho para a navegação, com pena dos homens e dos tempos; podíamos olhar os guindastes descarregando sacas de alpiste; podíamos respirar o perfume salgado do porto de águas flácidas. Íamos todos enobrecidos de sonho, unidos em amor àquele que conosco tanto amara perder-se e encontrar-se nessa experiência do oceano, tão igual à da vida.

Gente tão diversa, já irmanada pela mesa hospitaleira, mais irmanados ficávamos nessa amizade comum.

Lembrei-me, então, do chileno Augusto d'Halmar, também de destino marítimo, que pôs num livro esta dedicatória:

A la siempre viviente, siempre joven y siempre errante memoria de PIERRE
LOTI, *cuya nao, en más de un abra, fondeó lado a lado con la mia, estas
páginas de viaje escritas mientras él emprendía el último, con pliegos cer-
rados, hacia un secreto destino donde, sin embargo, no tardaré también en
alcanzarle.*

Por onde anda agora o *Bariloche*? Os homens do mar têm seus luxos:
grandes silêncios, percursos variados, súbitas aparições...

E quem navega tem suas esperanças tranquilas: vencidos os mares, há
sempre um lugar de encontros imaginários, em porto feliz:

*... quand j'aurai traversé la mer de Marmara, l'Ak-Deniz (la mer vieille),
comme vous l'appelez, j'en traverserai une beaucoup plus grande pour aller
au pays des Grecs, une plus grande encore pour aller au pays des Italiens...
et puis encore une plus grande pour atteindre la pointe d'Espagne...*

De mar em mar, chegaremos ao nosso destino. E de tal modo nos acostu-
mamos ao conforto humano que nos parece natural esperança estarmos todos
reunidos aos que amamos, vendo-os comer canelones, fumar cachimbo, recordar as rotas antigas, como se no último porto flutuasse ainda a prancha do
Bariloche, modesta, amiga, e quase, quase sentimental.

Rio de Janeiro, *A Manhã*, 22 de dezembro de 1943

Exercício nefelibata

O Rio começa a perder um dos maiores encantos que a terra oferece à existência humana: a contemplação das nuvens. À medida que sobem, os arranha-céus não deixam os céus apenas arranhados: deixam-nos verdadeiramente destruídos no que eles possuem de mais belo, – mais belo que o sol e a lua, que as estrelas e os planetas: as nuvens.

Porque o sol e a lua, as estrelas e os planetas são uma beleza que os olhos humanos, em sua pobreza natural, – sem o recurso das lentes que revelam incêndios, crateras, auréolas existentes nesses longínquos mundos – encontram semelhantes todos os dias. Mas as nuvens nunca se parecem consigo mesmas, dois minutos seguidos. Sua fluidez, sua inconstância, sua fragilidade, sua graça disponível têm o poder de transportar o nosso pensamento ao lirismo e à meditação. E o homem de boa-fé, que olha para o céu sem pressa, pode considerar-se dono de toda a sabedoria permitida a um vivente.

Quando, em criança, eu estudava mitologia, tinha longas cismas diante do céu: para mim, os deuses haviam sido inventados por sugestões das nuvens. Das nuvens do céu tinham surgido todos os deuses que não nasceram das espumas do mar, do eco dos campos ou do sopro da brisa. E fiquei horas perdidas esperando recompor nesse etéreo mármore suspenso, o carro de Apolo, o movimento de Diana, a passagem de Júpiter. Mas não foram horas perdidas, pois realmente os avistei, e ainda os avisto, quando quero, e até com outros atributos, e em jogos tão variados que explicam todas as construções de arte e de ideia, e revelam a vida na sua escrita efêmera de metamorfoses.

Agora eu vinha correndo por estes longos brasis, e deixei de lado as casas, as árvores, até os meus veneráveis zebus, que com tanta dignidade refletem, debruçados nos campos violáceos, – para dedicar-me às nuvens.

Pela altura do km 47, na estrada Rio-S. Paulo, há uma formação de nuvens que me arrebata, todas as vezes que ali chego. Num céu macio, redondo como um chapéu, azul como os miosótis, despontam pluminhas brancas. E eu penso num parque onde via as crianças correrem atrás dos patos. Os patos corriam, grasnando, e metiam-se no lago: mas deixavam perdidas, pela relva, algumas penas.

Mas aqui no céu, as pluminhas não ficam abandonadas tristemente, como alvuras mortas: aquela que há pouco flutuava, pequena, sozinha, e parecendo tão sem destino, desenvolveu-se, parou, concentrou-se, foi modelando não sei que propósito, e de repente me apareceu transformada em leãozinho cintilante, de braços cruzados, mirando cá embaixo a nossa vagarosa humanidade existir. E os seus olhos se alargavam, os seus olhos eram como de latão em fogo; e sua patinha, frouxa como uma luva de tricô, se dilatava também, e se dividia, mostrando as garras; e sua face ia ficando ameaçadora, e sua juba se encrespava em cabeleira assíria... E eu pensava: ele agora me dirá qualquer coisa sobre o mundo e o seu fim; afinal, ouvirei também algum segredo, como ouvia Ezequiel e como se viu no Apocalipse... Mas não tive tamanha sorte: o leãozinho murchou, deixou um pedaço de si para cada lado; estava desgostoso de ser inteiro, desgostoso de ter aquela forma, transformou-se num cardume de peixinhos brancos que foram correndo de um lado e de outro da estrada, numa grande maratona em que, como eram muitos, e todos estivessem de combinação, ludibriavam o nosso automóvel, tal qual o jabuti da fábula que apostou corrida com o veado.

Mas assim como o leãozinho se desgostou de ser um, e se multiplicou em mil peixinhos – os peixes agora se cansaram de ser tantos, e foram-se unindo outra vez, economizando a sua abundância, retornando à unidade. E era como num brinquedo de imagens, a representação do Criador com suas criaturas, de Deus dividido e recuperado, a partida e o regresso do Filho Pródigo.

Deu-se porém o inesperado, como acontece com as nuvens. Deu-se o inaudito. Os peixes não se fundiram logo na unidade definitiva. Não. Reduziram-se a dois, a dois peixes enormes, como dois zepelins. E, por capricho, deixaram-se ligados por um fio, como se estivessem conversando ao telefone. Se um pobre pintor desenhar dois peixes dessa maneira, cai-lhe em cima a gente que pensa pertencer ao partido da natureza, para acusá-lo de abuso visual. Pois aqui deixo o meu testemunho de que, a caminho de São Paulo, encontrei dois peixes brancos, entretidos nessa conversa. Testemunho precário, porque isso não durou mais que uns quatro minutos, quando os peixes, cansados da conversa, viraram uma cambalhota e passaram a ser asas soltas, asas de cisne cujo corpo terá ficado preso a este mundo. E assim à procura de seu corpo foram seguindo, vagarosas, melancólicas, e assim ficaram para trás, na sua nostalgia.

Mas havia, para diante, uma assembleia de nuvens. Grandes nuvens sentadas, com trajos gregos, com trajos romanos. Como não tinham cabeças nem braços, só o enrolamento e o desdobramento de suas pregas me revelavam suas expressões. Eram as últimas formas clássicas reunidas no alto de uma paisagem deserta, congregadas para salvar as conquistas do mundo antigo deste caos contemporâneo? Como poderiam fazê-lo, de mãos e face mutiladas? Oh, pobreza de não se ter mais com que pensar, de não se ter mais com que construir! de se estar reduzido à simples roupagem, bela mas inatual, e assim ficar sem prestígio perante os que revogam a eternidade, porque adoram o tempo...

E como as nuvens continuavam congregadas, por uma longa extensão, firmes, e imóveis, pude lembrar-me daquele poema de Ovídio à sua amada, num espetáculo de circo. Na verdade fui vendo por muito tempo a perna da romana desenhada em sua túnica, e o manto do poeta protegendo-lhe a face e o penteado.

Mas aqui apareceu numa nuvem maternal, dessas que os campos amam: uma vaca aérea, pronta a amamentar de fertilidade as terras verdes de bananeiras e canaviais. E ia andando como andam as vacas, pensativamente, pondo-se sempre de perfil para quem as contempla, a fim de que lhes admirem a majestade dos olhos imperativos, e a seriedade da boca sem palavras. E então lembrei-me de um poema hindu que se chama "A nuvem mensageira". Há séculos, um poeta oriental teve essa ideia de mandar à sua amada uma mensagem por intermédio de uma nuvem. E só há pouco tempo se inventou o correio aéreo, – quando, na verdade, já não há mais amadas nem mensagens que valham a pena. E digam que os poetas não são sempre os precursores!

Havia outro congresso de nuvens em Guaratinguetá. Mas essas eram nuvens do entardecer. Não tinham a inocência do leãozinho branco do km 47, do leãozinho que virava peixe por desejo de ser múltiplo, de ser da água, de ocupar o céu todo... As nuvens de Guaratinguetá, depois do congresso, decidiram seguir em procissão até Taubaté. Uma procissão riquíssima, em roupas de ouro, por cima daquela serra pintada com o azul dos quadros do Portinari, que muitas pessoas pensam não ser possível. Iam duas a duas, três a três, cinco a cinco, depois eram tantas que a multidão já não consentia nenhuma ordem. E seus trajos brilhavam esplendorosos, e quando o vento dava no ouro, descobria os veludos de fúcsia e púrpura que estavam por baixo.

Mas em Taubaté viu-se a lua brilhar de repente no lado da tarde. E a procissão foi parando. E as cores sossegaram. Os campos já tinham percebido que anoitecera, e aconchegavam-se em suas sombras, seus frios, seus sussurros de sono.

As nuvens já tinham vivido tanto que espreguiçaram pelo horizonte uns imensos braços ainda prateados, ainda azuis. Depois, apenas cinzentos, e mais delgados. E mais transparentes. Tão transparentes, que se desfaziam. E a noite levou-os.

O céu, que sonha de dia, acabara os seus sonhos. Essas invenções ilusórias do ar e da cor. De noite, quando os homens dormem, é que o céu está acordado, mirando-os todos na verdade sem defesa do seu sono. E dos seus sonhos. É assim.

Rio de Janeiro, *A Manhã*, 11 de junho de 1944

Rumo: Sul (I)

1

Não é que, como a querida Katherine Mansfield, eu tenha um fraco pelos penteados: o que eu tenho é uma constante simpatia pelo meu cabeleireiro, que, além de profissional honesto, é admirador das belas-letras, filósofo, moralista e devoto de Gandhi. Que terei feito de tão bom, meu Deus!, na última encarnação, para merecer um cabeleireiro assim?

Além disso, ele suspeita que eu escrevo, mas não sabe ao certo quem sou. Isso torna mais agradável a intimidade da nossa conversa quando, fazendo nascer da minha cabeça duras nuvens de espuma, ele me pergunta por intermédio dos espelhos: "A senhora já leu Lin Yutang? É muito instrutivo." E conta-me tudo quanto sabe da China: até que lá, para se dizer "casamento", desenha-se – com licença da palavra – um porquinho em cima de um telhado.

Pois o meu cabeleireiro agora, ao secar com todo o cuidado as mechas do meu cabelo, aconselha-me, experiente: "A senhora devia escrever as impressões desta sua viagem. *Mlle.* Solange, sempre que vai a qualquer lugar, escreve um livro, e pede aos amigos que distribuam uns tantos volumes pelos conhecidos. A vinte cruzeiros cada um. Já escreveu sobre Barra do Piraí, sobre Cabo Frio, sobre o Saco de São Francisco... Compra-se muito. A senhora nunca leu?" Embora eu saiba quanto isso abala o meu prestígio, tenho de confessar, sorrindo para o espelho: "Nunca."

E ele, brandindo a escova, me diz com a mais séria inocência que pode ter uma criatura humana: "A senhora devia fazer como *Mlle.* Solange".

Vamos ver.

2

Ainda escreverei um livro sobre "Arte de andar na rua" – para ser distribuído grátis, com retrato e dedicatória, na Semana do Trânsito. Só depois de ler um livro de duzentas páginas, o pedestre carioca será capaz de começar a suspeitar que não se deve insistir em caminhar por baixo dos automóveis.

A respeito desta originalidade de andar que parece característica dos meus conterrâneos, ouço do sábio motorista a seguinte explicação: "Na verdade, não é o automóvel que atropela o povo; é o povo que atropela o automóvel. Como, porém, o automóvel costuma ser um pouco mais resistente do que a pessoa, acontece que a pessoa quase sempre fica um pouco amassada."

3

Outra explicação do motorista é a respeito dos gasogênios. O gasogênio em que se viaja é sempre muito superior ao que vai em nossa frente, o outro é o que é o detestável, o torto, o desajeitado, o fumacento. Mas, de modo geral, os gasogênios são uma invenção muito prática, pois, de volta das viagens, pode-se vir queimando tudo o que já não presta: roupa suja, livros lidos, jornais velhos, contas pagas...

Para não ficar com a responsabilidade, observa: "Pelo menos, é o que dizem os fabricantes e vendedores de gasogênios".

4

Que fazer, quando se vai de automóvel por uma estrada pela qual navega um imponente caminhão? Se é de dia, buzina-se, em vários tons, com vários ritmos, convidando, pedindo, rogando, suplicando ao gigante que se desvie um bocadinho, o suficiente para o anão desprezível passar. Os caminhões são como a divindade – mal comparando – cegos, surdos, mudos. E poderosos. O automóvel soluça: "Eu tenho pressa, eu sou ágil, inclina-te uma coisinha de nada, – e já estarei longe, e a estrada toda será tua, outra vez, de lado a lado..." Mas o caminhão, que nem responde, no seu silêncio, diz assim: "Eu sou a Força. A Força é que deve dominar o mundo. As minhas toneladas dão-me direito a todo este caminho. A todos os caminhos."

Por um golpe decisivo de audácia elegante e certeira, consegue-se passar a frente ao monstro. E a indignação converte-se em pena; porque, naquela pirâmide de fardos, as toneladas que mais pesam são as da ignorância, do sofrimento obscuro, da dor da vida pesadamente vivida, da inépcia, da brutalidade, – o peso imenso do destino dos que não sabem nada nem de si mesmos nem deste mundo. Buzinai, automóveis, pelo dia afora! e acendei vossos faróis, pela noite adentro! Vós sois a graça da velocidade, o dom do tempo facilmente vencido. Mas perdoai os caminhões que vos estorvam: eles são a carga inerte da matéria. E, na verdade, a eles é que pertence este mundo.

5

Mas, com a ajudazinha com que a largura da estrada nos favorece, passamos um caminhão colossal, coberto de lona como um carro de saltimbancos, ladeamos um enorme caminhão de bananas, rinchamos em curvas audazes entre caminhões de carvão, e respiramos, livres, afinal, por um momento, no verde Campo dos Afonsos, onde os aviões brilham ao sol como passarinhos de papel metálico, e a rapaziada da Aeronáutica se entrega à sua ginástica matinal.

E agora é para a frente, para a frente, cada vez mais depressa, ganhando azuis, ganhando nuvens, e o automóvel de tal modo se entusiasma que desenvolve poderes alados, e a cada instante se arrisca a alçar voo, a desprender-se do chão, a bater asas.

Cuidado! Foi assim que se perdeu o elefante que pensou ser beija-flor...

Rio de Janeiro, *Folha Carioca*, junho de 1944

Rumo: Sul (II)

1

Bananeiras, bananeiras virentes aparecendo e desaparecendo entre a terra vermelha e o céu azul. Mais bananeiras. Ainda mais. Sempre bananeiras. Que fazer com tantas bananas, meu Deus? O motorista tranquiliza-me: vamos chegar a Bananal.

Bananal recebe-nos em sua praça quadrada, de casas azuis com os telhados pintados de branco. O azul é cobalto nas paredes, e anil nas portas. O branco cintila ao sol como prata. Igreja, hotel, delegacia. Parece mentira: prefiro a delegacia. É a casa mais linda da praça, com um portão de madeira que deve consolar os presos. Mas haverá presos em Bananal?

A igreja está sendo ativamente lavada por umas mulatinhas que me olham como se eu fosse turista americana, – o que me causa alguma tristeza.

O hotel tem chuchu preto, como é costume, e assado de porco que vem solene num carrinho especial. As bananas de Bananal têm a particularidade de se apresentar aparadas nos bicos, de dois lados, como charutos cortados a canivete.

Fora da sala de jantar, toda enfeitada de pratos de Macau, o hotel possui belos móveis de jacarandá, panos mexicanos, lustres do Império.

Mas o que nunca se esquece, desse lugar, são os feijões cozidos. Ficam no estômago oito horas absolutamente inatacáveis por oceanos de suco gástrico. Os feijões de Bananal são incorruptíveis, intransformáveis – e, embora sem forças para os celebrar, dessas suas provadas qualidades deixo aqui humilde constância.

2

São Paulo despertou sábado com uma gala que me surpreendeu: toda banhada em sol. Friozinho picante, nos ares. E sol faiscando nas vitrinas, lustrando as palmeiras do Anhangabaú. Ontem à noite, um infeliz se atirou do viaduto do Chá. Foi pena: não viu este sol, que talvez o tivesse reanimado. Este sol que às coisas mais miseráveis – vejam estes escombros, vejam esta velhinha que passa! – empresta um sentimento de beleza e alegria.

Pois é o sol que me está mostrando em todas as tabuletas negras das avenidas: "Hoje, feijoada completa"; "Amanhã, feijoada completa"; "Segunda-feira, feijoada completa".

É melhor atravessarmos a rua. Vamos comprar um colírio.

3

O moço da farmácia me disse: "O melhor colírio foi um que eu inventei". Então, eu lhe respondi: "Dê-me do seu colírio". Ele replicou suavemente melancólico: "Do meu colírio não há mais. Deixei de fabricar..." Esperei um pouco, a ver o que me ocorria como resposta. Ele continuou: "Além de inventar um colírio, eu também inventei o vidro próprio..." Abaixou-se, tirou da vitrina um frasquinho que ao mesmo tempo era conta-gotas, explicou-me o seu funcionamento, e acrescentou: "É muito engenhoso: para viagens, não há outra coisa..." Eu, então, que gostaria de animar os inventores, coloquei os meus planos nos seguintes termos: "Dê-me então um colírio qualquer, no seu vidrinho". Ele tornou a sorrir com a sua mui suave melancolia, e respondeu-me: "Só tenho este, de amostra. Para arranjar um, só na fábrica... Na fábrica, há centenas... milhares... Hoje é sábado... Vou ver..."

É por isso que eu nunca chego a ajudar os inventores, como tanto desejo.

4

À noite, no hotel, a orquestra afina os instrumentos.

O violinista esmera-se em fazer suspirar as cordas macias, os dedos do pianista galopam nervosamente pelos caminhos de marfim; o violoncelo entra em ação gravemente, como um anjo sombrio.

Mas as senhoras e os cavalheiros comem. Comem, é o que estou dizendo. Comem peixe, comem carne, comem batatas, comem tudo.

Pelo que estou vendo, o mundo se divide em gente que come e em gente que não come; em gente que ouve música e em gente que não ouve música. Os hotéis baralham as coisas, e dão de comer a estes, que estão, ao mesmo tempo, fartos e surdos.

Mas, veio lá de dentro um garçom escaveirado, um garçom que nem parece viver num hotel, e foi-se encostando pelas paredes, escondendo atrás de si o guardanapo de limpar as mesas, chegando-se para a orquestra, com uns grandes olhos escuros e profundos devorando os sons do violoncelo.

Começaram então as transfigurações: a orquestra devia estar sonhando um outro lugar, um lugar onde fosse ouvida – um palco em Boston ou em Filadélfia... Mas o garçom decerto ficaria contente se estivesse ali sentado movendo o braço como o céu move os dias e as noites, e gerando em cada movimento gritos, lágrimas, amor, – uma linguagem de fantasmas, que os fantasmas entendem.

Rio de Janeiro, *Folha Carioca*, junho de 1944

Rumo: Sul (III)

1

De manhãzinha, à espera do primeiro almoço, é agradável ouvir falar o garçom. O garçom sempre sabe muitas coisas, e a sua grande alegria é ser ouvido. Por que lha negaremos?

Quanto ao chá, ele não sabe se é da Índia, porque chá é coisa que nunca lhe interessou. Confessa: nunca teve a curiosidade, sequer, de o provar.

Agora, quanto ao trânsito, é outra conversa: já teve, uma vez, de parar no caminho, e ser repreendido pelo guarda, e ficar com uma cara deste tamanho... (procura um pouco no seu vocabulário...) e francamente, ficou mesmo "desavexado"!

Quanto ao tempo, ele sabe que agora é lua cheia. Mora longe dali. Num lugar sem iluminação. Onde o luar brilha mais. Oh! como brilha o luar! Fica tão clarinho que até se vê faiscar o pedregulho...

Vê-se mesmo faiscar o pedregulho nos seus olhos, neste momento.

2

Estação de Sorocabana, aguardando o trem internacional. Os guardas aduaneiros, senhores, são os guardas aduaneiros. Desnecessário explicar.

Ali vem um garotinho de perninhas ainda moles, todo janota em suas malhas de lã, de chupeta na boca e seu saco de viagem na mão, como qualquer mortal. De repente o trem apita, ui! que susto! O garotinho balança nas perninhas moles, mas não recua. Ao contrário, enfia nas grades o seu focinho róseo de recém-nascido, e investiga o monstro resfolegante, a imensa lagarta negra, que lá dentro palpita.

Entram duas dançarinas gitaníssimas como um poema de García Lorca.

E entram estas veneráveis matronas, que viajam com pérolas, e, quando se lhes pede o passaporte, dizem, com cara de papa antigo: "Nós somos descendentes de João Francisco das Botas Largas, um dos primeiros bandeirantes do Brasil. Nunca ouviu falar?" E foi para isto que os Botas Largas andaram varando o sertão, coitadinhos!

3

Conversa de grã-finos: a roleta; o príncipe polonês que fica com o dinheiro das festas de caridade; endereços de todas as lojas de peles e carteiras, em Buenos Aires; a casa de d. Fulana, que por sinal é maior do que a nossa, e os seus tapetes, e o malvado do seu marido, que, para falar com franqueza, vive à custa dela e não vive com ela...

No primeiro almoço do trem, foram compradas em imaginação todas as carteiras, todas as peles, todos os vestidos de lã, todas as roupas de baixo que se fabricam na Argentina.

Nessa mesma ocasião, e pelas mesmas pessoas, foram abertos todos os testamentos dos defuntos ricos mais recentes, foram avaliadas todas as joias das famílias mais conhecidas, e minuciosamente narradas todas as enfermidades dos conhecidos: gangrena, lepra, sarna, tifo. Isso, misturado com peixe cozido e escalopes de vitela. E são os grã-finos falando.

Por essas e outras, senhores marqueses das Botas Largas, eu prefiro a conversa do garçom.

4

E assim vai correndo o domingo no trem. Arredores de São Paulo. Futebol nos quintais. Uma chuvinha fina por cima. Hortas prósperas. Sossego da humildade brasileira, recolhida em suas choupanas.

Um senhor começa a explicar ao seu vizinho, com esses vagares da conversa depois do almoço, a devoção de um mexicano por Nossa Senhora de Guadalupe. Fica-se outra vez criança, escutando aquela voz, muito tranquila, descrevendo com precaução, sem tirar nem pôr, tal qual dizem que aconteceu, um milagre com santos e flores.

Os grã-finos fumam e jogam e agora opinam e assentam que os artistas devem ser pobres, miseráveis, famintos. Para haver arte. Um deles, que é mais viajado, esclarece que os grandes pintores de outrora vendiam seus quadros a peso de ouro. E como se referem a Rembrandt, um exclama, com a maior boa-fé: "Mas Rembrandt já se acabou!" E o outro: "Não, eu ainda vi um…" Porque os grã-finos têm soberbas distrações, olímpicos esquecimentos, um desprezo divino pelas ínfimas coisas dessa espécie…

5

É noite, quando se chega a Itararé.

Uma sombra chuvosa veio envolvendo pelo caminho os veludosos bosques de eucaliptos, os campos secos de milho, os vinhedos rasteiros, o algodão com flocos brancos ainda perdidos nos capulhos, o arrozal ondulando ao vento frio, a lenha parada ao longo da via férrea.

E na estação de Itararé, para alegrar o viajante fatigado, e anunciar a aproximação do sul, um tipo gaúcho, sentado no murinho baixo, começa a tocar freneticamente uma sanfona.

E por serem gitaníssimas como um poema de García Lorca, as duas bailarinas principiam a agitar-se, e, na friúra da noite, ali mesmo na estação, seus pés ensaiam, nas pedras negras, ritmos ágeis de cavalinhos árabes graciosamente malucos.

Rio de Janeiro, *Folha Carioca*, junho de 1944[2]

---

2   A mesma crônica foi publicada com o título "Coisas de viagem", no *Jornal de Notícias*, de São Paulo, em 28-7-48. (N. O.)

Rumo: Sul (IV)

1

Amanhecemos no Paraná, sob um sol de suave glória. Taças de pinheiro oferecem altos vinhos azuis. Aparecem as primeiras e encantadoras casas de madeira. Um mundo de brinquedos brancos, vermelhos, verdes, dispostos na veludosa caixa matinal do terno campo. Aparecem crianças louras, descalças, mirando a passagem do trem. São bonecas silenciosas e admiradas, de mãos e pés de coral, sustentando no flanco o irmãozinho pequeno, sustentando nos braços o cachorrinho peludo, ou simplesmente – como expressão virginal da terra – levantando para o trem uma flor que parece caída do sol. Como nos aproximamos de alguma estação, aumenta o número de casas, aparecem mais crianças louras, mais irmãozinhos, mais flores, e agora brilha a madeira clara, desnuda, pacientemente amontoada em largas camadas de tábuas finas.

Mais adiante, madeira mais nova está secando ao sol, cruzada em X.

E aqui estão as serrarias.

E ali estão os pinheiros.

Todas as casas têm cortinas. Todas as crianças, agora, têm calcinhas de lã, casaquinhos azuis...

E um leve sol dourado galopa com os cavalos soltos nesse tranquilo mundo vegetal.

2

É um mundo sem fim de pinheiros, de chalés de madeira com janelas graciosas, de crianças de melena cor de prata cintilando como pinceladas metálicas.

As igrejas, de madeira também. Com mais divindade.

Desenham-se os cercados de madeira, em cujos limites vêm pensar grandes bois sossegados, vagarosas vacas, delicadas e imensas.

E um carro de coberta de lona armada em arco vem rodando alegremente com um ar festivo de quem vai, mais adiante, encontrar a felicidade.

Assim se chega a Marechal Mallet, onde há uma pracinha insignificante, com meninas caladas pelos bancos.

O mais lindo chalé que se avista é o branco, de janelas verdes, que parece estar ali de propósito, esperando alguém que algum dia com mãos puras o venha copiar.

3

É preciso celebrar estas cercas de ripas que os paranaenses estendem ao redor das casas e ao longo dos campos. São de várias cores, umas fininhas, outras bem largas, e terminam sempre em bicos, pintados às vezes de cores diferentes. Elas recordam outras coisas igualmente maravilhosas: rendas de saias antigas, recortes de papel em caixas de figos e em caixas de bonecas. É preciso celebrar também as grades, os portões, as engenhosas coisas de madeira cruzada, de madeira sobreposta, que nestas pequenas cidades do Paraná são gestos de poesia desdobrando-se, enfeite da vida, sorriso da criatura humana, na amargura da sua breve condição.

4

Longe estão os pinheiros. Perto, as pereiras avermelhadas rodeiam as casas, com elegantes, aladas atitudes. Estão segurando a tarde que desce do céu azul. De um céu azul que não formou nuvem nenhuma até agora.

Para a frente, o clarão final do sol derrama no campo uma onda de fogo.

E viajamos dentro da cor.

E as casas brandamente se assentam, entre as pereiras que empalidecem. E o clarão do sol é agora um campo de violetas.

E a lua corre como um balão dourado atrás do trem: passa pelos pinheiros, flutua, desaparece por detrás de uma colina, por detrás do trem – e de novo boia nos ares azuis, tão leve, tão transparente, tão sem astronomia, – flor, floco de seda, madeixa de ouro e de prata que o vento leva por cima do mundo...

5

Porto-União. União da Vitória.

Os descendentes dos marqueses das Botas Largas perguntam com a sua naturalidade: "Depois do Paraná vem o Rio Grande, não é?" Não se pode ter boa memória, séculos seguidos...

Mas os que já conhecem o caminho sabem que, entrando agora em Santa Catarina, um grande frio nos espera, pela altura de São João.

Passeia-se um pouco, admirando a doçura do ar, no fim da tarde, naquele ponto em que se unem os dois estados brasileiros.

Alguém diz: "Por aqui há muito boa salsicha".

E nós perguntamos ao guarda pela temperatura. Ele diz calmamente, falando de São João: "Ah! lá já gia". Não sei que expressão teria a minha cara, porque me explicou melhor: "Lá já gêa".

Era tão bom ouvi-lo!

Mas o trem precisava partir. O trem ganhava forças para atingir mil e tantos metros. Apitou com bravura, soprou fagulhas para cima e para os lados, como num prodigioso fogo de artifício. Avançou pela noite próxima como um touro negro com bandarilhas de fogo. Escalou a montanha, intrépido.

Intrépido, não: trepidava muito.

Mas não geou, em São João.

Rio de Janeiro, *Folha Carioca*, junho de 1944

Rumo: Sul (V)

1

E agora já é a madrugada sobre o Rio Grande do Sul.

Grandes névoas envolvem os campos imensos. Os pinheiros vão rareando.

Passou a funilaria. Passou a igrejinha de madeira. Ali é o clube esportivo. A terra verdeja com as plantações de uva.

Serrarias. Montes e montes de tábuas, de um lado e de outro da via férrea.

Cercas de ripas pontiagudas. As mesmas cercas que nos acompanham desde o Paraná.

Ladeira para um lado e para o outro. Velhinhos que conversam, no frio amanhecer, envoltos em seus ponchos.

Lê-se na estação: Boa Vista do Erechim.

2

Continuam as madeiras, desnudas, no orvalho da manhã.

Campos completamente cultivados, ondulando até o horizonte, em suaves planos de paisagem europeia.

Um garotinho madrugador, de calcinhas cor-de-rosa, parou de cavalgar num pedaço de pau, para mirar, de longe, o trem.

De vez em quando se avista uma casa com balcão de grades, na fachada. Lembranças espanholas e italianas. Velhas lembranças árabes, nestes balcões fechados, em rendas de ripa.

E sempre muita madeira.

Cercas de casas. Roupas coloridas secando pelas cordas.

Correm garotos pelo campo. E entre a verdura aparece uma menina com uma cestinha no braço, caminhando tão só, que é impossível não seja Chapeuzinho Vermelho levando bolos para sua avó.

3

Arredores de Erechim. Restolho. Campos de milho queimado. Que longos campos! Algumas bananeiras. Casebres.

Mais madeira. Tábuas cor de marfim empilhadas em tabuleiros quadrados, de camadas transversais.

Ao longo da linha férrea, uma interminável carreira de lenha amontoada.

E de repente salta-nos aos olhos a placa de um Hotel Familiar.

E, agora, a da Companhia Viti-vinícola.

Estação Getúlio Vargas.

Casas de madeira de todos os tamanhos e feitios. Cercas.

Mais longe, por uma estrada de rodagem paralela ao trem, um gasogênio vai varando o caminho.

Aqui dentro, conversam, indiferentes à paisagem, sobre cassinos que ficaram para trás e dançarinos com e sem escola.

No entanto, os vinhedos se estendem pela suave ondulação do campo, os campos de milho seco douram a terra abundante, e roupas coloridas movem-se ao vento, entre o chão verde e o horizonte azul.

4

Bifurca-se a estrada. Ramifica-se. Seu desenho avista-se de longe, como um seguro risco vermelho vivo que recorta o campo.

Uma trepadeira florida abre-se de repente ao lado do trem.

O céu, que era tão puro, começa a brotar nuvens, pequenas nuvens ainda hesitantes.

Há campos e campos de milho seco. E pelo restolho veem-se abóboras amarelas, esperando que as venham colher.

Muita lenha ao longo da estrada.

E agora, os gaúchos: o primeiro, a cavalo, em sela felpuda. Mais longe, o segundo, a pé, envolto em grossa lã cinzenta.

E ainda mais longe, lentamente, um carro de bois.

5

Três emas correm pelo verde campo.

O terreno ondula em tons aveludados.

Vamos chegar daqui a pouco em Passo Fundo.

E pelo trem circula a grande notícia, recebida durante a noite: começou a invasão da Europa.

É feriado, em Passo Fundo, por esse motivo.

A cidade é rasa e silenciosa, de ruas amplas. Tem um hotel que se chama Planeta. É daí que o rádio anuncia os acontecimentos que vão ocorrendo na França. "Este hotel, dizem, era, antigamente, alemão." Mas as pessoas que se aglomeram pela porta e pela esquina prestam atenção ao noticiário, ansiosas pela vitória dos aliados.

Perto da estação enguiçou um gasogênio. E o amigo do motorista, com sua voz sulina, diz pausadamente, acentuando as finais: "Você hoje está de peso!"

Rio de Janeiro, *Folha Carioca*, junho de 1944

Rumo: Sul (VI)

1

Depois do almoço, há os que jogam cartas, há os que tentam ler (um moço tão bem-vestido entretendo-se com um argumento cinematográfico...); e há os dispépticos, eternamente adormecidos.

Na tabuleta do caminho, avista-se de repente: "Horto florestal do Pulador", "Escola de ferroviários". O trem arqueja um pouco, e para.

Lenha, no primeiro plano. Bosques de eucaliptos, no segundo. Depois, campos e campos ondulados até o horizonte.

Acontece que o pintor estava pintando com letras caprichadas a tabuleta da Construtora Carazinho. Mas não tinha chegado ao fim. Foi almoçar? Foi tomar café? E deixou esta má propaganda, ao alcance dos passageiros do trem: "Construtora Cara..."

2

E aqui estão as coxilhas. As coxilhas deitadas como grandes reses verdes sob o claro e leve céu.

Crônicas de viagem I ✦ 93

O gado pasta, vagaroso. Chega até as cercas de arame, para, mirando. Imensas vacas amarelas, de cara branca que nem máscara de gesso. Fitam longamente o trem que passa. Depois, fazem um movimento com a cauda, como nós, quando passamos a mão pela testa para afastar maus pensamentos.

O dia inteiro atravessamos estas ondas verdes, este mar parado, este mar caído. E vemos, ao entardecer, a garoa violeta que se forma por cima dos campos.

Erguem-se da sombra pequenos ranchos, de vez em quando. Pelo terreno aveludado há cortes bruscos de estradas vermelhas.

Agora, umas figueiras bravas, de larga copa, abrigam dois ranchos de madeira. Pela sombra macia, movem-se gaúchos, a cavalo, recolhendo o gado. Brilha de repente um poncho claro. E, como em paisagem romântica, de encontro ao céu baixo, desaparece na bruma o gaúcho altivo, fazendo saltar – para que noite? – o encaracolado cavalo.

3

À direita, ainda vive o sol. Mas, pela esquerda, já nasceu a lua. E essas duas pálidas claridades escorrem pelas coxilhas como brandos arroios. O verde desmaia – o verde do chão, veludoso e interminável.

Outros homens recolhem o gado, mais adiante. Reses, cavalos, homens deslizam como sonâmbulos dentro do luar que se vai dilatando.

Uma pequena igreja de madeira está por ali, sozinha, no seio das coxilhas desertas. Tão leve, tão fácil que parece portátil.

Dizem: daquele lado, depois dos pinheiros, há um pequeno erval.

E continua a entardecer, naquela imensidão despovoada.

4

Não veremos ninguém? Como é vasto o campo, para assim se perderem as palavras humanas! Escuta-se, escuta-se: nada se ouve. Tudo está separado de nós. Casas, famílias, música, onde é que isso se encontra?

Poças largas. O último cavalo, de cabeça inclinada, refletido na água com estrias de luz.

Inesperadamente, um cemitério, no campo. Em cada sepultura, uma pequena edificação, como miniatura de casa.

Figueiras bravas, desenhando-se negras contra um céu de topázios diluídos.

No horizonte, ficou partido um pedaço de arco-íris. Onde estará chovendo? Que vultos estão dando mais uma volta ao poncho, no frio do anoitecer? Que crianças estão adormecendo ao som de vaga cantilena? Onde estão as cozinhas fumegantes, as chaleiras de mate, – e que histórias se contam?

Ó paisagens sem ninguém! Tristeza, solidão, enigma.

O azul escureceu como as campânulas das trepadeiras. Daqui a pouco, não veremos mais nada. Vamos, de ausência em ausência, para o sono da noite.

A última coisa que se vê, sobre o céu encostado à terra, são os cercados de arame, em desenho minucioso, em traços finíssimos.

Rio de Janeiro, *Folha Carioca*, junho de 1944

Rumo: Sul (VII)

1

Santana do Livramento. Os agentes de viagem folheiam os papéis de seus fregueses, separam as malas, chamam seus empregados, apontam para os automóveis.

Valises, chapeleiras, sacos de roupa suja. Senhoras gordas, crianças de peito, maridos pacientes. Carregadores, funcionários, e fidalgos. Oh, muitos fidalgos. Então os senhores não estão vendo que nós somos da família dos marqueses das Botas Largas? Não estão vendo os sinetes dos nossos anéis, e a nossa inconfundível fácies?

Gaúchos altíssimos, caminhando vagarosos, com seus ponchos, suas franjas, suas bombachas, seus chapelões.

Fala-se um espanhol de fronteira, esganiçado, rápido, cantarolado. *Adelante.* Tudo para a Alfândega.

2

E a Alfândega.

– *Para qué quiere ud., señorita, siete pares de zapatos?*

– *Ud. es un sinvergüenza. Qué le importan mis zapatos? Lo que ud. quiere es una propina! Vaya!*

– *Los Marqueses de Botas Largas? No los hemos conocido, no. A ver, los baúles!* Deste lado é o Uruguai. Do lado de lá é o Brasil. A rua passa no meio.

E para ser uma fraternidade completa, o tenentezinho brasileiro namora com muito carinho a muchacha uruguaia que o escuta atentamente.

3

O hotelzinho faz o possível por ser engraçado, confortável, bonito.

Não direi que os seus banhos sejam esplêndidos. Mas direi que as suas janelas têm vistas deliciosas: a cidade de Rivera, de um lado, a cidade de Santana, do outro. Mais perto, logo ali sob as nossas vistas, um terreno abandonado, com um poço de alvenaria e uma alta laranjeira amarelinha de laranjas. Essas coisas consolam muito.

E a mucama é uma simpática mulata brasileira, que dá lições práticas sobre a maneira adequada da gente se servir das chaves das portas.

4

Está chuviscando. (Vinha daqui, o arco-íris de ontem...) Os viajantes distribuem-se pelos sofás e cadeiras do hotel, à espera de tempo melhor.

Os menos friorentos ficam por aqui pela entrada, quase com os pés no jardim.

O vendedor de perus quer vender ao hotel um dos bicharocos por quatro pesos. Mas a hoteleira lá da janela de cima acha muito caro, e ficam discutindo.

Os pequenos jornaleiros pulam de cá para lá. *El Dia, La Mañana, Parati,* – insistem muito. Acreditam na necessidade de se ler o jornal.

Depois chega Policarpo Melo. Mas este merece um capítulo especial.

5

Policarpo Melo tem dez anos e é engraxate. Tem uma cara bonitinha, e uns modos bem-educados. Chega-se para mim, e pergunta com a maior doçura: "*Quiere que le cepille la gamuza?*" E começa a escovar-me a camurça, cuidadosamente, com tanta habilidade no manejar da escova como se estivesse bem instruído acerca do preço das meias de senhora.

O meu vizinho quer uma graxa nos sapatos. Outras senhoras e senhores apelam para os serviços profissionais de Policarpo.

E como é evidentemente um bom menino, que estuda na escola, que trabalha para a sua mãe, e que com uma extrema simpatia se dedica cheio de boa vontade ao seu modesto trabalho, todos espontaneamente lhe querem oferecer pequenas gorjetas.

À tardinha, antes do trem partir, confessou-me que aquele tinha sido um dia excepcional. Doze fregueses... A cinco centésimos... E sorria.

Rio de Janeiro, *Folha Carioca*, junho de 1944

Rumo: Sul (VIII)

1

Adeus, Rivera! Adeus, Policarpo Melo! Adeus, também, ao menino que queria comprar uma empanada e voltou de carinha triste e mãos vazias. Por quê?

– *Porque, señora, dicen que el "real grande" ya no corre...*

E como era tão fácil, para dar uma empanada a uma criança, trocar a moeda fora de circulação, viu-se turista abrir a carteira, e o menino sorrir de felicidade.

Adeus aos amigos que vêm correndo desejar-nos feliz viagem.

Os doces campos esmaecidos vão deslizando pela tarde cor-de-rosa. Brandas moitas. Suaves bosques. O pôr do sol banha a paisagem de luzes douradas. Uma enorme calma se estende pelo céu liso, com uma tênue neblina sobre longínquas, pequenas casas.

2

O trem vai parando por muitas estações. Este trem que circula entre Rivera e Montevidéu é um comboio de pesados vagões amarelos, com uma iluminação mortiça, um grande ar fatigado e envelhecido.

Crônicas de viagem I ✦ 99

Em cada estação sobem ou descem uns gaúchos vagarosos, com o ritmo do campo nas bombachas largas, e o frio da tarde nos ponchos franjados.

Sentou-se um, no banco fronteiro e, antes do trem sair da estação, comprou pela janela uma dúzia de tangerinas. Destas tangerinas pequenas, fortemente coloridas e fortemente perfumadas que se encontram por aqui. Antes de descascar a primeira, perguntou-me se não me servia. Sorri para ele e para as suas doze frutinhas pousadas na mesa entre nós dois. Respondi-lhe que não, que esperava o jantar. E ele me explicou que não jantava: depois daquilo, só tomaria mate. E ia puxando as cascas às tangerinas, e atirando-as pela janela.

Não havia mais sol. Não havia mais paisagem. Havia o cheiro agridoce, banhando tudo.

3

O trem de Rivera traz uma profunda saudade do trem Internacional. Saudade dos vagões de aço, aconchegados e claros. Saudade das toalhas, da louça, dos talheres, das flores, da comida, dos copeiros. Uma saudade inconsolável.

Vamos chocar a saudade nas poltronas do carro-salão. Passageiros sonolentos leem jornais. Um gaúcho puxou a aba do chapelão para os olhos e está enrodilhado, dormitando.

Então, dois homens do campo, muito tranquilos e felizes começam a conversar sobre as suas vacas, sobre umas terras que compraram à margem da estrada e os bezerros que já nasceram e os que estão para nascer.

É o único conforto desta viagem, ouvir a conversinha rural, esperançosa e lenta. Vê-se, sem se ver, o ranchinho alegre, o gado crescendo, a vida próspera. E como é noite, e uma doce preguiça nos envolve, tem-se vontade de dormir e acordar amanhã com forma de pastor.

4

Sabemos que estão passando campos e campos. Sabemos que é noite, cada vez mais tarde da noite. Sabemos que há estrelas, – sabemos, sobretudo, que há uma lua enorme, redonda, amarela, como um disco atirado por esses campos, atrás do trem. Sabemos que um frio perfume se levanta lá fora, à passagem da lua. E, sabendo tudo isso, permitimos que o sono venha, e nos leve por outros campos, de outro perfume, com outras luas.

5

Amanhecemos vagarosamente. Uma neblina densa agasalha os vinhedos, os bois sossegados, as plantações de ameixa. A paisagem toda está trabalhada pelas mãos humanas. A verdura, azulada pela névoa matinal, se alinha, numa disciplina científica, em grandes tabuleiros geométricos.

Animais friorentos espreitam, da sombra de seus abrigos. Homens matinais deslizam na neblina, mal desenhados ainda, com perfil de nuvem e movimentos vagos de fumaça.

O trem diminui a marcha, na indecisa manhã, mole de sono como as rosas debaixo do orvalho. Malas. Carregadores. Vozes. Rodas paradas.

E estamos em Montevidéu, entre ramos de cravos enormes, vigorosos, violentamente coloridos, e crisântemos brancos, tão frios, tão frios, como crespas estrelas de marfim.

Rio de Janeiro, *Folha Carioca*, 1º de agosto de 1944

Rumo: Sul (IX)

1

Há um momento feliz em todas as viagens: quando na bruma da distância já se adivinha a presença dos amigos; quando se descobre o primeiro sorriso de boas-vindas e o coração se emociona sobre o primeiro ramo de flores.

Aqui está Montevidéu, que viemos alcançando através de campos nublados de frio, com os vinhedos e as ameixeiras empapados de umidades matinais.

Tudo é ainda cinzento, nessa primeira hora do dia. Dorme ainda a cidade entre o cimento firme das ruas e o aéreo cimento das nuvens.

Somos um animado grupo de uruguaios e brasileiros muito madrugadores, que povoamos a manhã com o nosso riso, como se esta terra adormecida nos pertencesse exclusivamente, pelo direito de estarmos acordados. Há um otimismo jovial nas palavras que trocamos. Estamos senhores da vida. Recordamos horas do passado, projetamos o futuro, entrelaçamos cidades, países, continentes, construímos o mundo à nossa vontade. E é um mundo de boa vontade. Somos felizes, e queremos fazer felizes todos os que nem suspeitam da nossa existência.

102 ✦ Cecília Meireles

2

O viajante que vem de longe, curtido de canseira, de fumaça de cigarros alheios, de camas inteiramente destituídas de vocação maternal, sonha com o hotel que o acolherá, e já venera em sonhos sua imagem.

A imagem do hotel começa numa gota d'água, que se amplia, que se arredonda, que se transforma numa piscina de esmeralda. Do meio, surge uma sereia de tranças líquidas, que desfolha perfumes espumosos nas ondas transparentes. Bandos de anjos estão suspensos nos quatro pontos cardeais, e suas asas são feitas de mornas toalhas felpudas que, num dado instante, se fecham sobre o úmido corpo do viajante deslumbrado. Outros anjos abrem as malas, escolhem a roupa limpa mais fina e mais aromatizada, e quando o viajante se contempla ao espelho, sente-se uma outra criatura, digna de viver entre os seus amigos, e até entre os seus inimigos. Recosta-se numa poltrona muito macia, e entrega-se ao nobre mister de pensar.

(Mas em geral os hotéis não correspondem a essa imagem.)

3

Para falar a verdade, os anjos e as sereias não estão presentes. Mas há flores e livros em redor de mim. E na página que abro ao acaso, está inscrita uma advertência que parece proposital:

> *Canta, tiembla hasta morir tú también,*
> *hoy o mañana, aquí o más adentro*
> *donde la fosa se abre como un oído*
> *o donde crece la primera hierba*
> *la primera nostalgia!*
>
> *Canta sobre los hombres idos y los que han de venir!*

E agora estou pensando na utilidade dos poetas e da sua canção. Nosso destino, como a voz dos pássaros, é ir a todos os homens, sem esperar que ninguém venha até nós.

4

O Instituto de Cultura Uruguaio-Brasileiro está instalado no Palácio Brasil, em plena avenida Dieciocho de Julio. Aqui se ensina o português a centenas de uruguaios desejosos de aumentar sua cultura e de se porem em comunicação mais perfeita com o Brasil. Há muitas salas de aula, e uma biblioteca com milhares de livros. Os lugares vazios são os dos livros brasileiros prometidos pelos escritores que passam por aqui e não cumprem as promessas que fazem. (Vastos lugares.)

Aqui há uma linda sala de conferências, com o busto do embaixador Lusardo, que todos reconhecem ser incansável em promover o nosso mútuo conhecimento e desenvolver as nossas espontâneas relações de amizade.

Esta tarde, um guitarrista uruguaio realiza um concerto: o interesse pela música, nesta cidade, é impressionante. A sala está repleta. Os que não conseguiram cadeira, comprimem-se de pé, junto às paredes, e amontoam-se à entrada das portas.

O concertista é um jovem de maneiras muito delicadas, que executa com muita arte desde as composições espanholas, mais adequadas ao instrumento, até certas páginas clássicas que sempre interessam muito ao público, como possibilidade técnica da guitarra.

Todos estamos muito satisfeitos, e o guitarrista é muito aplaudido. Toca mais um extra, dois extras, três extras. Agora já estou penalizada. Desejo salvá-lo. Quero um ato cristão: não permitir que façam com ele o que não desejaria que fizessem comigo.

E levanto-me para ir ao seu encontro, felicitá-lo, arrancá-lo ao martírio da glória. (Ninguém terá reparado no meu heroísmo e na minha solidariedade...)

5

Como estou quase dormindo, avisto a paisagem que me mostraram esta tarde. O Cerro – o único monte da cidade, tão modesto que as más línguas não lhe dão mais de quarenta metros... Recordo um revolucionário de terras altíssimas (e vulcânicas), que dizia: "Montevidéu, dá-me um dos teus grandes homens, que nós te daremos qualquer pico das nossas montanhas..." Isso já foi há muito tempo. Há quanto tempo teria sido isso?

E agora vejo as praias de Pocitos a Carrasco, tão suaves, na luz rósea da tarde.

Vejo os monumentos públicos: a Carreta, com os seus bois possantes – tudo de bronze, – diziam-me, – não sei quantas toneladas de bronze – acrescentavam... – resvalando pelo gramado do jardim. O parque Rodó cheio de pombos mansos que pousam nos ombros dos transeuntes...

As cores do dia, todas nubladas, todas em cambiantes de pérolas...

Vejo ainda o penacho dos guardas, muito marciais, à porta do antigo, majestoso Cabildo...

Rio de Janeiro, *Folha Carioca*, junho de 1944

Rumo: Sul (X)

1

Dia de Camões, em Montevidéu. Meus amigos portugueses ficarão contentes, ao saber que a data se comemora aqui. Comemora-se com a instalação dos cursos de língua portuguesa nas escolas secundárias. O ensino é ainda facultativo – creio que por dificuldade de professores; mas a ansiedade, por parte dos alunos, enorme.

Estamos numa sala de liceu com decorações murais que recordam as de Diego Rivera. Muita gente. Estudantes de português que frequentam as aulas do Instituto de Cultura Uruguaio-Brasileiro. Corpo diplomático. Elementos oficiais. Vários discursos, em português e em espanhol. Fala-se da nossa boa vizinhança, fala-se do fim da guerra (aproveita-se a oportunidade para dizer palavras fortes: barbaridade, selvageria, carnificina etc.), e um dos oradores uruguaios fala de Camões, do amor e de "Alma minha..." Lê a tradução do soneto, com toda a sua fervorosa emoção. Lê tão bem, e é tão bonito que esqueço o nome do tradutor. Perdoa, poeta: esse esquecimento de uma pobre cabeça viajeira não perturba a minha admiração. Qualquer dia recordarei teu nome e o celebrarei – se é que te importa ser celebrado.

2

Agora penso em Gastón Figueira, que encontrei ontem pela manhã na estação.

Gastón Figueira é muito conhecido no Rio, e muito estimado, porque tem traduzido com carinho inúmeros poetas brasileiros, e até prepara edições resumidas de alguns, para uma editora dos Estados Unidos. Isso, pelo lado intelectual e interesseiro. Pelo lado desinteressado, Gastón Figueira é um poeta para quem a poesia parece ter uma finalidade moral de compreensão e solidariedade humana. É também um apaixonado por paisagens novas, e coisas exóticas. A cidade do Rio de Janeiro é o tema de um de seus livros de versos. Em outro livro, celebra os aspectos de uma viagem que fez pelo interior do Brasil.

Isso quanto ao escritor. Quanto à pessoa, Gastón Figueira é uma figura amável, sensível e tímida, que aparece num determinado momento, saúda, deixa o seu protesto de amizade e evapora-se. Eu creio que ele se evapora mesmo. Não o posso ver – magrinho, moreno, sorridente, sempre vestido com uma extrema sobriedade – sem me lembrar de Aladim e dos gênios benfazejos que se desprendem com a forma de um fio de fumaça de dentro das garrafas árabes dos contos de Xerazade.

3

Pensamos em Jules Supervielle, que eu gostava de rever. Pensamos em Juana de Ibarbourou, que eu gostava de visitar. Pensamos noutras pessoas, em redor desta mesa de chá, em casa do dr. Couture, um dos diretores do Instituto de Cultura Uruguaio-Brasileiro.

Esta linda casa merecia um capítulo. Parece um aquário, com esta cor verde-água que boia pelas paredes, que sobe pela escada, que se coalha em torno dos quadros, que banha a figura maternal de uma escultura de Aurora Togores, à porta do estúdio.

Estou diante de um quadro de Figari. Uma árvore, uma lua e uns negrinhos adoráveis. Terno como um recanto brasileiro.

O dono da casa, que esteve há pouco no Brasil, por ocasião do Congresso Jurídico, é um grande advogado e uma pessoa de espírito. Recorda cenas e histórias do Rio. Relembra escritores, conferencistas, episódios vividos entre nós. (É sempre muito pitoresco, qualquer país, visto do lado de lá de qualquer fronteira.)

4

Continuamos a pensar em Juana de Ibarbourou, a poetisa que um dia coroaram "Juana de América". Hoje mesmo encontrei, na bela revista *Alfar*, um dos seus últimos poemas "Media noche de la ausencia". Que grande soluço amoroso, esse que diz:

> *Amor que te has ido lejos,*
> *Amor que ya no me ves,*
> *Amor que me has elegido*
> *Entre cien;*
> *Amor que eres mi corona*
> *Y mi bien!*

Grande soluço, ainda cheio de ciúmes e desesperos, que assim expira:

> *Dile al viento y a la luna,*
> *Dile a los hombres y al sol,*
> *Dile al polvo y a la lluvia*
> *Que soy tu amor!*

> *Di a todos los que te escuchan*
> *Que tuya soy!*

5

E agora estamos falando de Margarita Xirgu, a grande atriz espanhola, a grande intérprete de Lorca, que em Buenos Aires está representando neste momento o "Adefesio", de Rafael Alberti.

Quereríamos todos estar lá, neste momento, – por Margarita, por Alberti, pelo teatro, por nós, por nós!

Mas estamos aqui no automóvel. Faz um frio cortante. O que consola um pouco é ler no cartaz do cinema, por baixo do hotel: "Sahara". A palavra escrita é mesmo poderosa. "Sahara". Às oito horas desta noite de inverno, estamos vendo brilhar um ardente sol.

Rio de Janeiro, *Folha Carioca*, junho de 1944

Rumo: Sul (XI)

1

Depois da Rambla, que é o cinto líquido de Montevidéu, e de Pocitos, que é como a ponta desse cinto, Carrasco é a franja de areia em que se equilibram alamedas românticas, chalés evocativos, de diferentes estilos, e jardins estudados em desenho e em cor, por um propósito sensível de construir a paisagem. Tal propósito é que realiza o milagre de arrancar às areias este recanto maravilhoso e artificial, justificando a arte urbanística.

Sítio de veraneio, Carrasco entristece no inverno: entre as águas trêmulas e as árvores cinzentas corre um vento frio. Fechados, os hotéis graciosos; as casas envoltas em hera, fechadas; fechados os jardins com seus bosques, seus salgueiros, sua folhagem de prata em pó.

Mas alguns moradores resistem; passeiam a cavalo – imponentes animais, sedosos e elásticos – ou deslizam de bicicleta, pelo silêncio do crepúsculo, imprimindo tons de cinza sobre cinza: ares de prata, asfalto, sombras projetadas, troncos, frondes, areia, névoa...

2

Quem deseja ver cinema russo, venha a Montevidéu. Desde a fronteira – em plena fronteira, num cartaz enorme – por toda parte se veem anúncios de fitas poderosas, de um realismo emocionante, com essas qualidades eslavas de pureza cruel e alucinante mística.

Aqui estão os incêndios subindo em rolos densos; os soldados caindo, traspassados por balas; cabeças trágicas seguindo por entre escombros, fiéis a um destino que se morre por alcançar; o ímpeto, a frieza das decisões inevitáveis; o heroísmo da vida firmemente exposta, em cada passo. E uma brisa lírica sobre os cadáveres, o fogo, os velhinhos tristes, as trincheiras, as forças, as aldeias...

3

O público nos cinemas é numeroso e ruidoso. Aplaude com entusiasmo, quando aparece algum líder aliado. As senhoras que estão perto de mim têm sentimentos ternos: tapam os olhos, quando aparecem cenas mais violentas.

Parece que a língua russa é muito apreciada, aqui. Muitas pessoas mostram estar entendendo o que dizem os atores e explicam aos vizinhos certas palavras, separadamente.

Depois do espetáculo, a multidão desliza vagarosamente pelas ruas, dirige-se para as casas de chá, para os cafés, para os pontos de ônibus e de automóvel. Multidão friorenta, com muitos casacos de pele, muitas lãs. Multidão sombria, pela preferência que aqui se dá aos vestidos negros. Multidão cordial, que se move sorrindo, com grandes olhos inteligentes.

O vento – já se fala no pampeiro – estremece os agasalhos de pele e faz os homens levantarem para o queixo as echarpes de lã.

4

Conheci o reitor da universidade, filho daquele educador José Pedro Varela, que tem o nome celebrado numa de nossas escolas. Qualquer pessoa que tenha trabalhado pela educação gostaria de ter um filho ou um parente assim, de tanta nobreza de maneiras, de palavra tão fina e penetrante, de trato tão sereno e tão agradável. É um senhor de cabelos brancos, alto, delgado, sóbrio, que sorri exatamente o que se deve sorrir, e diz exatamente o que se deve dizer. Há tempos não via ninguém com tamanho equilíbrio, cuja presença fosse, por si só, tão rica de prestígio. (Penso em Joaquim Nabuco.) E, apesar disso, há estudantes em greve.

5

O salão de "Amigos del Arte" tem sempre uma exposição de pintura. Às vezes, também tem alguma conferência. O ambiente é rústico, com armações de aniagem e cadeirinhas toscas com assentos de palha.

Hoje há uma exposição póstuma, de um pintor extremamente doloroso e cheio de talento. Um poeta – Cipriano Vitureira – saúda o companheiro morto. E os visitantes, respeitosos, elevam um pensamento de ternura àquele ausente cujo vestígio por este mundo adeja nas paredes, em cores, em volumes, em sonho. Leve, curto adejo.

Numa das salas o nosso amigo William Berrien, que vai para o Brasil, – todo cintilante e cor-de-rosa – presta atenção aos amigos uruguaios que falam de pintura.

Aqui no Uruguai a pintura parece interessar vivamente a um grande público. Há exposições constantes e não apenas em "Amigos del Arte". Todos entram, observam, opinam. A arte não é um luxo: é uma forma de comunicação. Parece que todos sabem disso. Que todos querem saber disso. É uma felicidade caminhar-se por um lugar assim.

Rio de Janeiro, *Folha Carioca*, junho de 1944

Rumo: Sul (XII)

Somos quatro, em redor da mesa, conversando sobre livros e quadros. Mas de vez em quando nos distraímos, porque os espelhos da casa de chá giram como caleidoscópios: plumas, penas, laços, cartolinhas, moinhos de vento – mil chapéus de todas as cores se agitam e se multiplicam pelos vidros. Toda essa trepidação exótica, e o tinir dos talheres e da louça, me arrebata pelo ar e me abandona no grande viveiro de pássaros de St. Louis de Missouri. "Lá era muito mais belo..." – penso. Depois, dentre os pássaros verdadeiros, com sua plumagem luminosa, seu voo feliz, seus sussurros e seus mistérios, olho esta humanidade quase transformada em pássaro – seus súbitos silêncios, seus olhos lustrosos, seu sonambulismo – e volto de longe... Para refletir, é muito mais belo, aqui.

Um frouxo turbante de lã, cinzento, fechando-lhe os reflexos dourados do cabelo. Suaves mãos, discretas, com finuras de porcelana. Olhos melancólicos, com suaves transparências verde-azuis. Mansos enfeites de prata. Seu rosto, igual à sua pintura – calmo, com uma tímida solidão, um sentimento de ausência enternecida. Seus quadros, como o seu rosto – de uma tal sobriedade que se vê a vida toda em profundidade, e não se pode apontar onde está. É Amalia Nieto.

Clara Zum Felde, casada com o conhecido crítico uruguaio: uns olhos cheios de fogo, que ora fluem ironia, ora se imobilizam em súbita reflexão. Ainda não li os seus poemas, que estão inéditos. Cúneo pintou um retrato seu, todo vermelho, com muito sortilégio e muita fatalidade. De repente, parece uma amazona. E quando sorri mostra uns dentes miudinhos como sementes de fruta.

Laura Escalante, que ensina literatura, tem uma voz inesquecível. Graça, inteligência, malícia – é uma sorridente multidão, a sua voz.

Somos quatro, em redor da mesa.

Agora somos mais de quatro. E somos outros. Professores e diplomatas brasileiros e uruguaios. E estamos na "Mesquita".

A "Mesquita" foi imaginada como os ocidentais imaginam o Oriente. É uma boate onde dizem que se janta bem.

Logo à entrada, um jovem moreno, envolto nas pregas de um largo albornoz branco. O termômetro marca menos de dez graus. O vento enfuna o manto árabe, quando o jovem nos ajuda a descer do automóvel. Quando fala, o frio da noite condensa o que vai dizendo. Seu hálito parece um jorro de areia.

Por dentro, as paredes estão cobertas de luas crescentes. O vizinho de mesa fala de uma senhora fabulosa, que aparece no palco e adivinha palavras escritas e objetos escondidos.

Mas, em lugar da adivinha, vêm umas dançarinas espanholas que são como uns cavalos ajaezados de vermelho, amarelo e roxo.

Como não trouxe binóculo, sou, com estes olhos estropiados, a mais feliz das criaturas aqui presentes. Porque, quando uma dançarina dá um pinote para a frente e espeta o punho na cintura, em grande ar de desafio – eu vejo três pinotes, três punhos e três cinturas. Três de tudo. E os olhos e a boca de cada dançarina ora estão pregados nos seus lugares, ora saltam, com as flores dos seus xales – e quando elas se põem a sapatear, vejo, em cada uma, uns dez pares de sapatos de verniz, alucinados, para trás e para a frente moendo uma coisa dura de moer como deve ser a paixão de uma dançarina furiosa. E as castanholas são uns coraçõezinhos de pedra, rilhando, rilhando...

Depois, vem um camarada molenga, com um nome que nunca ninguém ouviu, dizendo que é brasileiro e vai cantar um samba carioca. Entra nuns tremeliques, gingando, abraçado à haste do microfone, tão reles, tão vadio que qualquer malandro de morro teria vergonha de o ver.

Um tenor de brilhante na camisa e casaca até o calcanhar – o número mais formal do programa – vem cantar "em homenagem à escritora que honra esta casa... etc." (Tudo traição dos amigos.) E canta "Que te vaya bien". Canta outras canções sentimentais. Com muita dignidade. Tem uma voz enorme, que estremece todas as luas das paredes. Por isso, cauteloso, de vez em quando se afasta nobremente do microfone. Quando cumprimenta, seu brilhante cintila como Sirius, e sua casaca flutua.

Vêm agora uns peruanos folclóricos. (Serão peruanos?) Voltam as espanholas. (Serão espanholas?) E volta o brasileiro. Ah, o brasileiro, de chapéu de palhinha, entortando as pernas para cantar a "Aurora"! (Chamar a polícia, não se pode; fazer um discurso explicativo, também não; não há nenhum indício de que a "Mesquita" desabe esta noite... E já que estamos num ambiente muçulmano, o remédio é ter paciência, e jantar, assim mesmo... Aliás, janta-se muito bem.)

Rio de Janeiro, *Folha Carioca*, junho de 1944

Rumo: Sul (XIII)

1

Uma das coisas que mais me impressionam, aqui, é a comida. Existe um *hors--d'oeuvre* que se chama *matambre*, embora devessem escrever *mata-hambre*, e que é uma espécie de carne recheada com verdura que se serve às fatias, como salame. Conforme o nome está dizendo, depois de se comer uma coisa assim, a fome está morta, esticada, liquidada definitivamente.

Devia estar... Mas isso é apenas um *hors-d'oeuvre*... Depois é que vêm os fígados grelhados, em pedaços do tamanho de um ferro de engomar; as *parrilladas,* que são uma peça de carne do tamanho do prato; os frangos desenvolvidos como perus, e o resto, – tudo acompanhado de um pão divino e de bolas e bolas de manteiga.

A desvantagem desse regime para os turistas é encontrarem todos os enxergões das camas dos hotéis, dos trens e dos barcos bastante afundados, o que não é muito confortável para os ossos dos que vivem em dieta de emagrecer...

Crônicas de viagem I ◆ 115

2

A caminho do hotel, segundo a rua por onde tome, encontro ou a Panaderia de la Amistad ou o Palacio de los Sandwiches. Mas hoje fui ter a um lugar mais afastado, e esbarrei com a casa Lord Byron. O título puxou-me a cabeça para trás. Meus olhos entraram pela vidraça: vendiam charutos.

Já me prometeram levar à Carboneria Venus de Milo. Estes uruguaios têm uns requintes! E estou vendo no meio do carvão um mármore imaculado, a flexão de um quadril sob a túnica milagrosamente sustentada, e que os braços ausentes não poderiam recolher.

O perfil grego sobre o carvão acompanha-me como um camafeu monumental.

3

O Brasil tem muito prestígio no Uruguai. Hoje encontrei um senhor nascido por casualidade num navio que ia passando pela costa brasileira; um senhor que leva misturados nas veias uns quatro ou cinco sangues europeus. Mesmo assim, teve um grande prazer de compatriota, ao ser-me apresentado, e falou-me tão efusivamente das plagas verde-amarelas como se, ao nascer, os seus olhos as tivessem avistado, e nunca mais as pudessem esquecer.

4

Há dois dias, ao entrar numa sala de conferências, avistei, numa peça contígua, o pintor Torres-García, que ia carregando um quadro, em direção a uma parede. Qualquer dia escreverei longamente sobre esse homem admirável que leva setenta anos de vida dura, realizando uma obra a que tem sido constantemente fiel. Quero deixar agora aqui apenas o seu perfil enérgico, de terra amarelada, com grandes ângulos agudos, e sua melena branca descendo para os ombros como na cabeça batalhadora de um profeta. A profissão encurvou-lhe o corpo magro: ele caminha como um pássaro, e o quadro que leva nas mãos é como um galho de flores, de geometrias alucinantes.

5

Também escreverei mais longamente sobre Figari, advogado uruguaio que um dia se fez pintor. Viveu muitos anos em Paris e, de longe, pintou, em estado de saudade, lembranças queridas da terra: o campo, de grandes árvores e grandes luas; as casas coloniais com suas mantilhas de séculos; os cavalos que são essa maneira da natureza correr livremente entre o chão e o céu, mirando os homens; os cachorrinhos domésticos que vão e vêm pelas casas como graciosos objetos animados e sorridentes. Tudo isso, e os negros. Ah, os negros tinham deixado em Figari uma impressão inesquecível, com suas roupas coloridas, suas festas movimentadas, suas tristezas profundas, que parece virem do princípio do mundo, quando os animais falavam...

Há uma ternura tão grande em tudo que pintou Figari que a admiração pelos seus quadros torna-se logo sentimental. Dá vontade de beijar. É uma infância imensa. Um jogo de coração. Um céu.

Rio de Janeiro, *Folha Carioca*, junho de 1944

Rumo: Sul (XIV)

1

Tantas coisas se sucedem nestas breves horas que os apontamentos começam a ficar difíceis.

Vamos andando, andando, com um frio grande, que abre os casacos, tenta arrebatar os chapéus às senhoras, eriça os agasalhos de pele, imprime um leve tremor à voz... Aonde vamos? Caminhamos sempre. Ainda não tinha vindo para este lado. Atravessamos a avenida Dieciocho de Julio. Seguimos por uma rua que não sei como se chama. Vamos almoçar com uma pessoa que não conheço.

De passagem, reparo no corredor de entrada de algumas casas. Devem ser casas antigas. Têm lindos azulejos, que me seduzem. Numa porta, havia uma menina entretida, brincando com um macaquinho.

Paramos a uma porta cujo número não vi. Calcaram, no elevador, um botão que não sei qual foi.

2

E é tão belo aqui em cima. Uma grande vidraça permite ver-se todo aquele lado da cidade rasa, com suas casas acinzentadas, entre os azuis tênues da água e do céu. O vento desfolha as árvores amareladas. Que doçura grande, nesta paisagem de Montevidéu!

O criado abre a porta e desaparece. Há quadros. Há um gosto de coisas de arte, pelos móveis, pelos objetos, e há o dono da casa, que está de acordo com o seu ambiente, naquele ponto de fidalguia em que o sorriso da intimidade evita qualquer efusão vulgar.

3

É neste almoço em que o aroma do *curry* hindu nos relembra o Oriente – um Oriente tão longe, por detrás de tantos navios de guerra, de tantos tanques, de tantos aviões, de tantas baionetas! – que encontro pela primeira vez o poeta Carlos Rodríguez Pintos. Talvez o seu nome não seja muito conhecido no Brasil: mas é um dos grandes poetas uruguaios.

Somos um grupo ávido de ouvir seus versos. Já surpreendemos um livro seu, em algum lugar da casa. Depois de várias tentativas de acomodação ao suplício, o poeta se decide a fazer a vontade aos amigos.

Ao lado dele sorri sua mulher, tão linda, tão artista, para quem voam com tanta naturalidade aqueles versos:

> *Suave Señora, suave y placentera:*
> *Bajo el cendal de tu mirada grave*
> *(Sobre una mar sin puerta y sin ribera)*
> *Heridas ambas y en la misma nave,*
> *Mi espera en tu esperanza desespera,*
> *Suave Señora, placentera y suave* [...]

4

Que indiscreto nos revelou este pequeno, delicado mistério do dono da casa? Em redor da mesa vai lentamente passando o molde em gesso de uma nervosa mão feminina, de dedos sinuosos, unhas longas e curvas como a garra de um pássaro. Como estamos longe das tranquilas mãos das antigas deusas, das esquálidas mãos dos velhos santos. Esta é uma esvoaçante mão fugitiva, pronta para dizer adeus, para estar mais longe, sempre mais depressa.

Crônicas de viagem I ✦ 119

E, como os arqueólogos reconstituem com um caco de louça uma cidade inteira, nós todos estamos aqui reconstituindo com estes cinco dedos de gesso, alados e frios, a imagem daquela que não está presente.

5

Algum dia cantarei os pombos de Montevidéu. São claros, feitos de nuvem deslizante; são cinzentos, com um tom estranho de água turva; são roxos, com súbitos, móveis colares metálicos – verdes, encarnados, amarelos...

Faíscam ao sol do entardecer estes pombos redondos que vão caminhando com passos vermelhos pela areia dos jardins, pelo cimento das calçadas; que olham de lado para os passantes; que se encolhem num tufo suave de penas, como dálias veludosas, ou se multiplicam em rápidos leques, num voo sussurrante.

Fotógrafos parados ao pé das máquinas, apoiados a elas, como os retratos dos casais felizes, quando um tem a mão pousada no ombro do outro... Criancinhas forradas de tricô dos pés à cabeça... Velhinhos pálidos, de boné, com o queixo sumido em *bufandas* grossas...

E os pombos. Os pombos saltando degraus... Os pombos enfeitando as estátuas... Há um homem feliz que abre os braços em cruz, com as duas mãos cheias de grãos. Os pombos caminham pelos seus braços, pelos seus ombros, e bicam a comida... No meio do jardim, o homem está como um espantalho. E é o único que não assusta aquelas asas sempre sobressaltadas.

Rio de Janeiro, *Folha Carioca*, junho de 1944

Rumo: Sul (XV)

1

Dizem-me que tome cuidado com os ônibus, pois os motoristas andam em greve, e um veículo que passe dirigido pelo proprietário pode ser apedrejado. (Mas não acontece nada.) A respeito da solidariedade nas greves, contam-me também que, outro dia, a certa hora, todos os veículos pararam um minuto ou dois como manifestação de apoio a certa classe de trabalhadores.

Apesar de Montevidéu não ser uma cidade muito extensa, a falta de ônibus e automóveis sempre se faz sentir. Há, porém, uma coisa que ainda se faz sentir mais a quem chega do Brasil: é ser aqui a mão ao contrário. Fica-se a cada instante com o coração murcho de medo, quando se olha distraído para a posição dos veículos nas ruas. Ah! um choque violento! mortos, feridos, socorros urgentes! Não: o raciocínio corrige o repentino susto: tudo está certo – apenas é exatamente ao contrário do movimento de outras cidades: a mão é pela esquerda.

2

Apesar da greve, não falta público para esta conferência sobre o Brasil. O anfiteatro da universidade está cheio. A sra. Maria V. de Muller, diretora do curso de "Arte e Cultura Popular", faz uma pequena apresentação. Fotografias. Silêncio de expectativa. A conferência é ilustrada com discos brasileiros, muitos dos quais conhecidos aqui. São as músicas negras as que mais agradam. A sra. Nilda Muller, cantora uruguaia, também ilustra passagens da conferência com trechos de música popular.

Os brasileiros reuniram-se todos na primeira fila: são professores e diplomatas. Vieram as figuras mais conhecidas nas letras uruguaias, nas artes e no magistério. E muitos estudantes.

Diante do que há para se aprender, – que somos nós todos senão estudantes? Assim se pensa quando se está em Montevidéu. E como o livro do Brasil não chega a nenhum lugar do mundo, conferências destas trazem muita gente, interessada sinceramente em conhecer-nos.

3

Maria V. de Muller tem um salãozinho pequeno, aparentemente. Pensei que com uma dúzia de pessoas ficasse intransitável. Que engano! Estão os Cáceres, está Silva Valdés, está Fernando Pereda, estão Julio Casal, José Gabriel, Orfila Bardesio, a jovem poetisa uruguaia, Arzadum – outros pintores, outros poetas, outros jornalistas. Estão diplomatas, estão pianistas e cantoras – e essa multidão se move prodigiosamente entre bandejas com copinhos dourados e sanduíches, entre o piano e as fotografias, e todos podem estar sentados ou de pé, e se duzentas pessoas chegassem agora, poderiam ser recebidas, porque este é um salãozinho mágico, onde há lugar para todos os amigos, e onde sempre se pode ser feliz.

4

Montevidéu tem uma escola de declamação. Sua diretora convidou-me para visitá-la.

Não sou, propriamente, uma aficionada – a declamação está mesmo entre as três ou quatro coisas que me causam pânico. Compreendo, porém, que há uma necessidade de ensinar a boa dicção, que isso é de grande utilidade na vida diária, na criação de um bom teatro – pois os que não sabem dizer com propriedade não podem chegar nunca a artistas cênicos perfeitos.

A diretora desta escola é uma senhora amabilíssima, que explica as origens e o desenvolvimento deste curso, criado há mais de vinte anos. A princípio, era apenas uma aula de declamação. Pouco a pouco, e à medida que as necessidades o impunham, criaram-se cursos de literatura, de línguas etc... Uma coisa chama a outra. Hoje, os alunos são numerosos. A diretora está contente. Para ela, a poesia tem uma realidade. Existe. E ela está a seu serviço. Sua escola de declamação podia ter por emblema uma chama acesa diante de uma lira.

5

Inaugurou-se mais um "Café Sorocabana". Este é o terceiro que visito, em Montevidéu. Balcão de mármore, anúncios pela parede, com ramos de cafeeiro, pinturas verde-amarelas. À porta lê-se *"Café puro del Brasil"*.

Há muitos cafés aqui. Mas há um, chamado *"Chaná"*, que não sei como se pode beber, a não ser por força do hábito. Deram-me a experimentar outro dia. Ao primeiro gole, veio-me um aperto na garganta, que fiquei surda. Surda e muda. Insisti no segundo gole, e os olhos fugiram-me, entupidos de horror. É uma invenção tão amarga que à força de ser amarga parece doce. E duvido que possa ser mais bem descrito.

Por isso, meu irmão, se vieres a Montevidéu, prova de todos os cafés, para não dizeres que escolheste pelo meu gosto...

Rio de Janeiro, *Folha Carioca*, junho de 1944

Rumo: Sul (XVI)

1

Em que penso? Penso que daqui a dois ou três dias deixarei estes lugares: e começo a ter saudades de tudo – das calçadas, das lojas, das janelas, dos pombos que voam sobre os plátanos desfolhados, da catedral, das águas azuis do rio, do teatro Solís que se está desmoronando, e desta gente com quem me entendo divinamente...

Alguém, para me consolar, diz: "Em Buenos Aires, você vai encontrar *parrilladas* muito maiores que as daqui..." (Triste consolo para a minha índole vegetariana!) "Em Buenos Aires você vai encontrar carteiras de crocodilo muito mais baratas..." (Ah, os crocodilos!...)

2

Eu vi, uma vez, um crocodilo-criança, num Jardim Zoológico. Estava esparramado em decúbito frontal, num viveiro de vidro. Falavam perto de mim: "Vamos ver se conseguimos criá-lo..." Caía sobre ele uma luz velada, nebulosa, de sanatório, de quarto de prematuros... Tinha-se uma espécie de vertigem, naquele ambiente, com aquela claridade morna, esponjosa, fosca – e era como estar no bojo de uma pesada nuvem.

O crocodilo respirava, estendido. Sentia-se que era mole, parecia modelado em lodo. E tinha esse mistério dos crocodilos, das tartarugas, dos hipopótamos, – inatuais, contemporâneos de outra idade do mundo. Era um pequeno deus despido, doente, exilado...

Ah, como é que eu poderei jamais comprar uma carteira de crocodilo?!

3

Chuva leve. Pombos apressando-se, com pérolas d'água escorrendo-lhes das penas. As mocinhas puxando para a testa o capuz das capas. Um guarda-chuva secular, de cabo de marfim lavrado, – aqui perto de mim, no ônibus.

Que doçura, a da chuva pelos arrabaldes! Os maridos saem agora, depois do almoço, e as esposas dizem adeus do alto da escada, ou no degrau de pedra do portão. (O riso das despedidas sob a chuvinha fina!)

Alguém está percorrendo escalas cromáticas ao piano. Escalas em tom menor, tristes e tímidas. Cortinas cruzadas por detrás dos vidros das janelas. Pingo d'água nos botões de rosa dos jardins...

Passamos o parque Rodó, onde as crianças e os pombos brincam felizes nos dias claros. E o parque Rodó era um cristal fosco, com delicados desenhos de árvores...

Agora estamos num bairro que conduz ao museu de Zorrilla de San Martín. Cada rua tem o nome de um dos seus poemas. Não é uma doçura, ser-se poeta em Montevidéu?

4

A dona da casa mostra-me todos os recantos do seu sobrado. Piano, máquina de costura, fogão, guarda-louça... – a atmosfera familiar com todas as suas expressões de vida.

Naquele piano, embaixo da escada, a filha – que agora anda longe – tocava os "tristes" que compunha... A filha está na parede, rodeada de grossas flores de ouro. O genro está do outro lado, em moldura igual. Os outros parentes assistem à conversa, também assim, detrás de vidros, com esse sorriso incansável dos retratos.

Que adorável ficar aqui, nesta tarde de chuva! Todas as coisas nos seus lugares. Uma luz de cortinado. Os rumores da rua desvanecidos em sonho... O netinho chorou lá em cima. Era tão bonzinho! Mas anda rabugento, porque lhe estão saindo os dentes...

5

Aqui está o netinho, com a cara franzida, como um velho, coçando as gengivas, aborrecido e inconsolável, tão infeliz, com uma lágrima redonda escorregando-lhe pela bochecha!

Em vão lhe mostram os bondes que passam, os botões do meu vestido – ele está ali numa tormenta, com a carnezinha ferida, esperando que o dente saia... (Quantos séculos terá o homem de esperar, para ficar desdentado para sempre, e usar – se for preciso – umas cômodas dentaduras postiças, de cores sortidas, sem passar por esta infelicidade da dentição??? O meu dentista diz que vai demorar um pouco...)

E a boa senhora mostra-me os fundos da casa... Um quintal com árvores verdes, cheirando a chuva... Um mamoeiro amarelado. Flores pelos canteiros, à porta do quarto de engomar...

Atração da casa, com seu aconchego, sobre os que vão, de viagem, entregues às surpresas do caminho.

As nuvens passam. Levam-me consigo... Vou para longe, senhores. Para longe vou.

Rio de Janeiro, *Folha Carioca*, junho de 1944

Rumo: Sul (XVII)

1

Graça maternal dos casarões antigos. Estes solares coloniais parecem avós sentadas em cadeirões: anchas, calmas, depois de terem visto tantas coisas... E as suas rugas e as suas cãs estão nestas gretas dos muros, neste desenho fino dos limos pelas paredes...

A casa tem um pátio que foi lindo, mas onde, para desgraçá-lo, puseram depois uma estátua de patriota, arma em riste, no meio de um canteiro... Mas no fundo branco sobe o risco de uma escada em diagonal: puras linhas de uma singeleza comovente.

Salas de um lado e de outro, no andar térreo: coleções de troféus, de relíquias. O nome de Lavalleja – o da Cisplatina – enche esta casa-museu. Há velhas fitas de chamalote desbotado nas vitrinas. Pendões, flâmulas. E estes dizeres, repetidos inúmeras vezes, em pendões, flâmulas, fitas: *"Vivan los federades, mueran los salvajes, asquerosos, imundos unitários."*

Mais adiante, este grito, que o tempo vai reduzindo a pó: *"Viva la Confederación Argentina, mueran los salvajes, asquerosos, imundos unitários. Muera el loco traidor salvaje unitário Urquiza."*

Crônicas de viagem I ✦ 127

2

Do lado esquerdo, a cozinha, com grandes caçarolas, arreios de cavalo – e, um pouco mais distante, vitrinas cheias de mates de prata, com bombilhas complicadas, preciosos com objetos de adorno.

No andar de cima, há belos móveis, armas, estampas, roupas históricas e roupas da família Lavalleja. Retratos a óleo, que os visitantes apontam e reconhecem, como se fossem contemporâneos à janela...

O gosto é o mais arrevesado da época: os sofás imitam conchas repuxadas para o lado, – e os corpos de hoje não cabem, não se acomodam, não se entendem com aquelas cadeiras.

E as longas cortinas de renda descem de todas as portas altíssimas. E sente-se necessidade de vestidos longos, de tafetá, de brocado, de bombazina, de cores antigas, deslizando por estes corredores. Sente-se a necessidade de umas botas fortes, com esporas de prata, que façam estremecer estas tábuas.

Mas por mais esforço que se faça – talvez por ser de dia – não aparece nenhuma assombração...

3

Outro museu. Tem tantos andares que, quando se olha de baixo, a escada em espiral parece um parafuso espetado no céu.

Mais armas. Mais bandeiras.

No pátio empedrado, uma carruagem sem cavalos. Sem dama e sem cavalheiro. Sem rumor nas rodas. Uma caixa de silêncio, de antiguidade – o que resta de viagens, aventuras, conversas, conspirações, esperanças...

Pelo peitoril das janelas baixas, no muro redondo do canteiro, na parede vertical de cada degrau da escada, que sobe do pátio para uma negrura de corredor secreto, – azulejos, azulejos, azuis azulejos com esse velho reflexo escorrido do lápis-lazúli da tinta grossa...

E, de repente, uma enorme banheira de mármore. Oh, que estranheza! Uma banheira seca, fria, branquíssima e larga. Para grandes corpos de deusas e de heróis. (Estou vendo em redor de mim os esqueletos mirando carnações passadas – e voltam para os cemitérios de cabeça baixa, com vergonha dos seus ossos...)

4

Retemperemo-nos, tomando chá.

Houve um uruguaio que escreveu, há muito tempo, num livro: "Por que havemos de desprezar a *hierba*, para tomarmos chá como se fôssemos chineses?" Com certeza, ele tinha razão. Já se bebeu copiosamente e ainda se bebe muito mate, por estes lugares. Os museus estão cheios de cuias de prata lavrada, que pousam, com suas bombilhas torcidas, caneladas, gravadas e floridas, em suportes também de prata.

Mas nós vamos tomar chá, como se fôssemos chinesas. E não é mesmo uma chinesa a minha amiga Virgínia, com um vestido liso, cerrado no pescoço, e um chapéu cônico? É uma chinesa, sim.

5

Aqui há excelentes casas de chá. Os doces, sobretudo, são famosos. Há um lugar convencional, para o mundo elegante: é o chá do Telégrafo. O salão, escuro, com jeito europeu. As senhoras vestem-se todas de preto, dos pés à cabeça, e, com suas plumas, suas luvas, suas peles, seus olhos pintados de preto, e suas unhas e seus lábios encarnados, ingerem goles vagarosos da bebida com mais mistério que os mandarins, como se isto, em vez de chá, fosse ópio. Em todo caso, é um rito. O rito das cinco da tarde.

As xícaras são umas grossas xícaras pintadas de azul, que parecem filhas dos azulejos dos museus.

Rio de Janeiro, *Folha Carioca*, 5 de outubro de 1944

Rumo: Sul (XVIII)

1

Grande tempestade. Trovões e relâmpagos ferindo o dia.

As janelas do ateliê de Arzádum estremecem com o vento, com o ruído. Vê-se o fogo azul do céu riscar os ares, lá fora. Cai uma cortina d'água, por cima dos plátanos ruivos, cujas folhas rolam pelo chão como mãos murchas.

A história de Arzádum – hoje diretor das Belas-Artes – é pouco mais ou menos a de todos os pintores. Gosto de andar aqui, entre as tintas, os modelos de gesso, os potes de pincéis... Há uma estante com livros de arte e catálogos... E em redor, as telas encostadas umas às outras, de cara voltada para as paredes...

Arzádum vai colocando seus quadros no cavalete com esse jeito que os pintores têm de inclinar a cabeça, para verem se a luz está boa.

Aqui estão uns lugares serenos, com uma casa, um céu, uma água – o pintor descansou por aqui: seu descanso está nestes azuis horizontais, nesta areia tranquila, nesta ausência de outras coisas, nesta solidão à margem do mundo.

A chuva ferve na claraboia do ateliê. Seu ruído é mais forte que a nossa conversa. Estamos mergulhados em perspectivas, e bebemos café.

Quando a chuva, afinal, sossega, um sol pálido vem dourar de novo os plátanos que o vento desfolha, e faiscar nas últimas vidraças e nas últimas poças d'água do caminho.

2

Minha opinião é que as ruas pavimentadas com placas de cimento são muito escorregadias, quando chove.

Juro que derraparemos, se continuarmos a andar por aqui!

Não me interessam os vestidos das vítimas, nem as tortas das confeitarias, nem as portas dos antiquários: juro que derraparemos, se continuarmos a caminhar por aqui.

A sola dos meus sapatos está ficando fofa como papelão: já estou perdendo o governo dos músculos: o salto dos meus sapatos parece borracha mole – o chão é liso como um espelho: juro que derraparemos se continuarmos a andar por aqui!

Zzzz... – juro que derraparemos! O chão é puro líquido! Meus sapatos são líquidos! Eu toda sou líquida: onda deslizante, sem noção de contatos, fio de seda correndo numa aérea bobina... Zzzz... – juro que derraparemos!

(Todos os pães da vitrina estão espiando o que vai acontecer.)

3

Os amigos brasileiros levam-nos a jantar no Cassones, um dos restaurantes mais pitorescos da cidade. Por dentro, as paredes são de tijolo, o teto é arranjado com esteiras. Em cima, é um cabaré público, que se esconde com biombos. Embaixo é para as famílias, com uma orquestra entusiasmada. (De vez em quando, dizem, há pessoas que erram o caminho...)

Este jantar pretende ser alegre: mas já tem um certo ar de despedida. Daqui a dois ou três dias, tudo isto já estará para trás. Tudo se irá transformando em saudade.

Na mesa ao lado, alguns americanos estão festejando também alguma data. Um deles vem cantar ao pé do piano uma canção conhecida, – e há esse riso, esse frenesi um pouco infantil, de qualquer festa americana, em qualquer parte. Palmas ao *crooner*! Cantou admiravelmente mal.

4

Aqui se recorda o Brasil com melancolia. Tanta gente estudando português. E nenhum livro brasileiro pelas livrarias. Todos nos tratam como vizinhos, amigos íntimos, pessoas da família... Todos sabem que o Brasil começa ali perto, entre Santa Ana e Rivera, entre Jaguarão e Rio Branco... Sabem que falamos idiomas muito parecidos, embora tão perturbadores que a mesma palavra quase sempre significa as coisas mais diferentes... Temos em comum a cochilha, o cavalo, o mate, o poncho, – a doçura do coração, a cortesia do gesto, a coragem que inspira a nobre vida do campo, entre largos horizontes, na lida com o gado e a planta.

Mas falta alguma coisa, para unir-nos mais. Como nos comunicaremos, tanto quanto pede a vida humana, assim de um lado e de outro da fronteira?

Bebemos café, pensando nisso.

E o café é o nosso consolo. Raminhos verdes e amarelos... *"Puro del Brasil..."* Não, os nossos livros são para a idade das letras... Por enquanto, o Brasil, visto daqui, é o pais do café e das meias de seda...

5

E ainda chuvisca, depois do jantar. As luzes da noite fazem rebrilhar as calçadas molhadas.

À porta do restaurante, um florista aproxima-se de nós, com uma grande cesta no braço. Vende violetas. Violetas de Parma. Para convencer-nos, fala do alto preço das sementes, e aspira as flores, todas recamadas de gotas de chuva.

E já estamos tão convencidos! Roxas e brancas, as violetas cintilam, com os pingos d'água apertados nas flores, ou lacrimejando pelas verdes folhas redondas.

Violetas! Que outra flor se poderia oferecer àqueles que vão partir, e têm saudades?

Rio de Janeiro, *Folha Carioca*, 10 de outubro de 1944

Rumo: Sul (XIX)

1

Pergunto-te, meu amigo, se algum dia já miraste e admiraste um percherão. Não te descreverei esse belo animal com rigor científico, pois é pequeno o meu saber. Grande, porém, é o meu encantamento: e com prazer te ofereço este retrato sentimental.

O percherão é um cavalo enorme, poderoso, de peito soberbo, gigantesco e imponente. E a sua crina lisa, sedosa, cintilante, parece a cabeleira de uma mulher mongol.

A pelagem do percherão não parece de cavalo, mas de pássaro: o negro é frustrado por matizes de oliva, de uva, de índigo queimado, e tem essa felpa das nuvens de tempestade. Uma recordação vegetal de anoitecer nublado na floresta.

Parado, o percherão é uma rocha escura, com musgos, liquens azuis e a umidade do mar na gota grande dos olhos. Uma recordação mineral de pedra molhada e plasmada por ondas solenes.

E em movimento, o percherão é um bailarino: seus cascos tocam de leve a terra, seu peso se dissolve no vento da carreira impetuosa; sua crina é uma asa única, oscilante e aérea. A carga que os homens lhe atam ao corpo fica mesquinha e ridícula, diante da sua força graciosa, da sua rapidez tão fácil, do seu poder contra a escravidão e o possível sofrimento. Uma recordação de homem divinizado.

2

Pelas ruas de Montevidéu correm os percherões. Vão rodando atrás deles, velozes e ruidosos, os grandes carros com enormes cargas.

Que doce etéreo sussurro acompanha o surdo troar das rodas contra as pedras? – São as campainhas douradas dos percherões sacudindo música para todos os lados.

Por isso, quando passam os percherões, vejo flores balançando-se, abelhas zunindo, cascatas brancas evaporando-se irisadas – e os percherões como dançarinos robustos correndo por um chão todo verde, com os olhos já todos azuis.

3

São as campainhas douradas dos percherões, sacudindo música para todos os lados...

Por isso, quando passam os percherões, vejo búzios desenrolando sonoras hélices, vejo as conchas tornarem-se crótalos, vejo anêmonas vocalizando o cristal marinho – e os percherões como dançarinos incansáveis, levantando-se da espuma, e muito mais leves do que elas, girando deslumbrantes, com cabeças multiplicadas em todas as direções.

4

São as campainhas douradas...

Vejo o fogo crepitante, com faíscas chovendo para todos os lados num vasto incêndio mágico. Vejo as estrelas do céu luzindo perto, de todas as cores, vejo o trapézio do arco-íris e o carrossel do zodíaco – e os percherões voando para o princípio do mundo, distendidos no seu voo com o ímpeto, a curva e o rastro luminoso dos cometas.

5

Quero dizer-te adeus, e não posso, Montevidéu – pois até o olhar dos teus cavalos me está prendendo a ti.

Mas se eu ficar, talvez nunca mais os veja, porque o ofício humano é triste, e facilmente se vicia: os olhos deixam de ver o que estão vendo sempre, e o coração se acostuma – e esquece-o... – aquilo que se faz maravilha constante... Assim, para te amar, é melhor que te deixe.

E é melhor que vos deixe, percherões! – monumentais como palácios e leves como borboletas. Estareis comigo para sempre, dispersando na minha memória a pródiga seda da vossa cauda e das vossas crinas. E sentirei nas ondas do mar e na sombra das florestas o ritmo da noite movediça dos vossos flancos.

E vossos olhos se abrirão muito longe, em lugares que não vistes, com pétalas veludosas de amor-perfeito.

Rio de Janeiro, *Folha Carioca*, junho de 1944

Rumo: Sul (XX)

1

Recordo as noites de quarta-feira na intimidade da casa de Vaz Ferreira, mestre de conferências da Universidade de Montevidéu, primeira figura do pensamento nacional, cujo nome é uma luz na história da filosofia e da pedagogia no Uruguai.

A casa fica num bairro distanciado do centro. À noite, atravessa-se um jardim sossegado, numa rua sossegada, sentindo o trilar dos grilos nas poças de sombra do chão. As ramas das árvores abraçam quem vai passando. Quando se levanta a cabeça, desenlaçando o abraço, vê-se um nítido céu negro, onde as estrelas desabrocham maiores, e de onde a lua jorra sua fonte imóvel de claridade.

2

Às quartas-feiras, os amigos acorrem à casa de Vaz Ferreira, para um pouco de música.

Empurra-se uma porta enorme, no fundo do jardim, e está-se num vestíbulo que impressiona pela altura, pela iluminação que é longínqua, adormecente –

e pela solidão que anda em tudo: nas outras portas altas e fechadas, em alguma cadeira, na longa mesa central.

Percebem-se vagos sons através de uma daquelas portas: mas ninguém ousa abri-la. E nesse vestíbulo, que estará sempre deserto, por mais pessoas que cheguem, fica-se de pé, em silêncio, esperando que a música termine, para se poder entrar.

3

A sala de música é igualmente estranha. Uma claridade escassa torna todos os objetos fantásticos, repetindo-os, em suas sombras tortas e extravagantes, pelas paredes, pelo chão, por cima de outros objetos. Fica-se dentro da sala como num quadro cubista, amarelo e preto.

Pálido, quase sem palavras, toda a figura marcada pelo trabalho infatigável do pensamento, Vaz Ferreira cumprimenta seus amigos. Tem a mão suavíssima, como os seus movimentos e o seu vago olhar.

Escolhe na vasta discoteca uma nova peça e volta para a sua cadeira, ao lado da eletrola. Todos se somem, sentados pelos cantos de sombra. Só a fronte de Vaz Ferreira resplandece, com a brusca luz do aparelho que maneja. Depois seu rosto se afasta, e uma onda de vozes místicas irrompe livremente por aquela sala onde ninguém se move, onde ninguém se vê, onde ninguém diz nada, onde parece que ninguém respira. O coro está cantando e chorando num inteiro desamparo. E a cena fica mais estranha: pois a voz que sofre é uma voz sem corpo, aprisionada e como debatendo-se naquelas grades de sombra e luz; e os ouvintes, vivos, estão reduzidos a nada, confundidos com as paredes e os móveis, sem poderem fazer nada senão seguir com o pensamento aquele tumulto, e sofrer com ele, sem que a mínima queixa lhes chegue aos lábios, iguais à caliça, à madeira, a qualquer substância obscura e inumana.

Recordo esses momentos de mansa renúncia, de entrega feliz, mesmo com sofrimento, em que se parece dizer à música: "Leva-me contigo, toma conta de mim, converte-me no que és, dá-me a tua fatalidade rítmica – essa certeza do que se vai seguir, em cada compasso, em cada frase, em cada movimento. Deixa-me ser assim – leve, passageira, inesquecível; presente e tão imaterial. És mais do que nós, porque te podes revelar, sem seres vista; e sem nada dizeres tudo comunicas. Seduzes sem explicação nem promessa e permites que todos te adorem, embora cada um te entenda a seu modo. Na verdade, és, em quase tudo, semelhante a Deus, ou, pelo menos, aos deuses..."

4

Onde pensas, amigo, que recordo tudo isto? – Na cabine do barco que me leva a Buenos Aires.

Que sensação, nestes tempos, subir uma escada de bordo! ver passaportes abertos! gente que saúda batendo no boné! dizer adeus da amurada! ter os braços carregados de flores! ouvir o apito de partida! sentir o cais recuando com os amigos que agitam lenços! mirar o esplendor da lua nas águas franzidas do rio!

Dá-se uma volta, para conhecer o barco que, nestes tempos, equivale a um transatlântico. Pelas mesinhas do salão atapetado, há grupos fumando, conversando, jogando cartas.

Os camareiros argentinos passam impecáveis de brancura, solenes como almirantes.

E a cabine é tão linda! Tudo branco, lustroso, cheirando a mar. Por isso é que desde criança até agora, penso que os navios, por dentro, são pintados com Emulsão de Scott.

O colchão é macio, os linhos engomados e a máquina do navio vai pulsando, pelo rio, como um poderoso coração.

Rio de Janeiro, *Folha Carioca*, junho de 1944

Rumo: Sul (XXI)

1

O rumor das madrugadas nos barcos que chegam ao porto: passos apressados de camareiros, pelos corredores; conversa velada de passageiros admirados de já estarem chegando; um chorinho ou uma pergunta de criança matinal e curiosa; arrastar de malas das cabines; ordens; explicações, vozes de fora, de terra, entrecortadas, rápidas, que sobem para o barco, num voo brusco de pássaros-trabalhadores.

Uma neblina densa e álgida envolve o céu, as águas, o cais, embaça os vidros, traspassa as lãs, a pele, os ossos.

Vão aparecendo os passageiros, cautelosos, chapéus enterrados até os olhos, *bufandas* levantadas até as orelhas, vastos sobretudos em cujos grandes bolsos mergulham as mãos enluvadas. As senhoras são monumentos de pelicas, deslizando. E as crianças de colo são uns repolhos de lã, tendo no meio, como duas bolas de orvalho, os olhinhos redondos de espanto.

2

Aumentam os rumores. Alguém deseja mostrar alguma coisa, lá fora. Mas a neblina esconde tudo.

Há sempre um sapato rechinante de camareiro que vai dando a medida da sua caminhada pelo corredor.

Para os lados do restaurante, tinem os talheres – e relembra-se a louça branca onde reinam, com uma fartura clássica, o trigo, a manteiga e o leite.

É preciso esperar, até que se arrastem todas as malas, valises, caixas e os varões tirem dos bolsos as mãos enluvadas para apontarem soberanamente o que é seu – couro, correias, fivelas, fechaduras, impermeáveis, sacos de lona, sacolas de chita, e mais isto e mais aquilo. As senhoras vigiam as ordens dos maridos, e os carregadores conseguem entender tudo, naquela confusão, e põem uma grande mala às costas, mais uma em cada ombro, e outra à cabeça, e uma embaixo de cada braço, e uma valise em cada mão, e como um anúncio de turismo despencam pelo barco, em direção à alfândega.

3

E a alfândega é enorme, lisa, limpa, com um balcão muito comprido, e uma turma de funcionários com aventais de enfermeiros, que recebem, abrem, examinam, fecham, marcam as malas que passam, e seguem em carrinhos fáceis, e chegam do outro lado, que é onde verdadeiramente começa a terra, onde há casas, gente, jardins, automóveis, igrejas com sinos batendo, porque é domingo, e pombos voando, como desprendidos das badaladas dos sinos.

Há sempre nos portos um amigo inesperado – como, do outro lado da vida, pode ser que se encontre um anjo, que nos tome pela mão e nos conduza. Como o anjo, o amigo vale tudo.

Ali é onde moram os homens que governam: ali, Deus; daquele lado, as empanadas *criollas*; por ali, um caminho subterrâneo; daquele lado, as grandes avenidas; temos Palermo, um iate no Tigre, frisa no Colón, *parrillada en* La Cabaña, cinema, *copetin*, uma festa *criolla*, excursão por uma fazenda-modelo, visitas a museus, um almoço típico em La Boca, cinco recepções, três ou quatro chás, *La Prensa*, o Teatro Nacional de Comédias, uma pescaria...

É assim Buenos Aires: uma abundância pasmosa. Quando me deito, para descansar um pouco, todas essas coisas vão desabando por cima da minha cabeça, como um belchior que desse uma cambalhota e fosse atirando pelas janelas miniaturas de marfim, máquinas de costura, imagens de Napoleão, xícaras antigas, molhos de garfos amarrados, guarda-chuvas, estampas soltas.

4

Da janela do hotel, vê-se a cidade amanhecer – só agora verdadeiramente amanhece – desfeitas as últimas neblinas por um sol frio mas muito brilhante. Torres de palácios, campanários de igrejas, remates de arranha-céus triunfam na manhã que vai arrancando o azul dos ares e o verde das árvores àquela úmida cinza dissipada.

Gira-se na parede o botão do rádio. Como irá o mundo? Salta um teatro com lágrimas e vozes entrecortadas de sogra que perdoa as traições do genro. Oh! que horror! *"Adelante!"*, como diziam nos ônibus de Montevidéu. Salta um tango molenga, com a facada já pronta a ser desferida nas costas perfumosas da mulher ingrata... – isso sempre é mais divertido. Saltam coisas sagradas e profanas. Missas com sermões. Cerimônias militares. Discursos. Anúncios de gomina, de biscoitos, de azeite...

Assim, num breve instante, entra-se em contato com um certo número de coisas locais, sem se sair de um quarto de hotel.

5

E quando se sai, encontra-se uma ampla cidade, de largas avenidas, de altas edificações, varrida por um vento frio, banhado por um sol muito dourado, muito fino, – e em cujos grandes jardins algumas pessoas se aquecem, pelos bancos, ou levam as crianças a ler as inscrições que há nos pedestais das estátuas.

Compreende-se que, neste ambiente de prosperidade, à sombra destas construções, que por vezes lembram Nova York, o homem tenha adquirido uma confiança em si mesmo, que, combinada a outros caracteres, se manifesta de um modo imperativo no seu andar, no seu falar, na sua alegria, no seu desdém, no simples gesto de riscar um fósforo para acender o mais banal cigarro.

Rio de Janeiro, *Folha Carioca*, junho de 1944

Rumo: Sul (XXII)

1

O sono dormido sob a asa da calefação não soube nada: mas a temperatura desceu, esta madrugada, a dois graus abaixo de zero.

As névoas da manhã tropeçam pelas esquinas, contra as estátuas, agarram-se ao vento, aderem às vidraças, abraçam-se aos passantes...

Tangida por essas névoas, a multidão matinal, que se dirige às suas ocupações, levanta a gola dos casacos, enterra os chapéus até as orelhas, enfia as mãos nos bolsos, esconde-se o melhor possível em todos os seus contrafortes de lã – porque as névoas são como lâminas frouxas de um vidro muito fino e muito frio que um aéreo discóbolo arremete sobre a cidade, infatigável.

As grandes ruas tornam-se velozes, têm um grande ar de alegria esportiva, com a movimentação rápida e saudável dos passantes. Para-se, às vezes, para contemplar em alguma porta algum termômetro. E o aroma do café brasileiro, desprendido destas portas giratórias, é um convite irresistível ao balcão de mármore por onde deslizam xícaras muito quentes, enfeitadas de verde e amarelo.

2

Todos os empregados desta grande casa de modas parece terem sido escolhidos a dedo, para manequins. São extremamente corteses, e, interrompendo a importante função de vender, perguntam por vários brasileiros que ali também fizeram suas compras, e com muito empenho nos encarregam de dar lembranças a todos eles.

É claro que fazem algumas considerações sobre o tempo, pois a cidade toda está impressionada com a queda da temperatura – e a venda de agasalhos, esta manhã, é mesmo extraordinária.

E como bons camaradas, opinam a respeito de luvas de antílope e sobretudos cor de granito, e repetem que *es muy paquete*, e querem que o freguês fique *muy paquete*, e afastam todas as sugestões que não tenham o ar *paquete* expresso por um movimento arredondado do braço com a mão em forma de concha, como se estivessem colhendo no espaço uma colherada de sopa.

Afinal, convenceram-nos e tranquilizaram-se. Sorriram, em grandes cumprimentos felizes, renovando as lembranças para os brasileiros que dali saíram também *muy paquetes*, – que é como quem diz "muito elegantes" – interesse que me parece razoável em vendedores de casas de modas.

3

Direi rapidamente uma diferença que me ocorre, entre argentinos e uruguaios: nos primeiros, parece pesar o sangue espanhol; nos segundos, o português. O sangue português é lírico; o espanhol, dramático. Nós, brasileiros, não sentimos nenhuma estranheza entre a gente uruguaia: entre os argentinos sentimos uma diferença de índole. O argentino pode ser extremamente cortês; não consegue ser terno. Essa aspereza é que nos surpreende, mesmo quando lhes estamos admirando outras qualidades, que sem dúvida possuem.

O argentino é facilmente anedótico, irônico, muito propenso à gargalhada – apesar de sua aparência, à primeira vista, imponente, solene, austera. Até nos meios intelectuais se verifica essa tendência – embora, naturalmente, corrigida por uma cultura que se está vendo despenhar de copiosas bibliotecas e abundantes viagens.

Nada disto, porém, serve como documento: os tipos humanos são vários, móveis, inconstantes, e apenas anoto impressões, muito pessoais, sem pretensões a definitivas.

4

Reunião num ateliê de pintura. Penso que, no Uruguai, provavelmente não estaríamos tão bem-vestidos, falaríamos de arte, recordaríamos algum episódio afetuoso, acontecido há tempos, com um amigo já morto, que teria sido bom e triste. Ficaríamos comovidos, sentiríamos o nosso parentesco de espírito, estaríamos por momentos em silêncio, como num sonho; a noite passaria levando-nos todos juntos por lugares aéreos – e chamaríamos a isto ser amigos e estar felizes.

Aqui, também estamos todos muito felizes, e sem dúvida somos todos amigos: mas ninguém se atreve a ser tão romântico – há uma espécie de temor pelos abismos do sentimental. Fala-se muito, ri-se muito, circulam bebidas, salgadinhos, anedotas políticas, e brinca-se de quatro cantos com as potências bélicas internacionais.

5

Assim, aproveito o ambiente para aprender lunfardo, que vem a ser o calão dos tangos – uma língua extremamente viva, que se renova sem cessar, e que dos tangos passa para o uso comum, tal qual a gíria de qualquer parte do mundo.

Aqui vão uns apontamentos: à casa, chama-se *bulin*, à *garçonnière*, *cotorro*, ao ladrão *chorro*, à pessoa amada, *la mina*. O homem é *el punto* ou *el coso*; o rufião, *gavión* ou *cara lisa*. Para dizer-se "nada", diz-se *minga*. O relógio é *el bobo*, e a faca, *el fierro* ou *el fiyenco*. O chapéu é *funye*, e as calças, *leones* (redução graciosa de *pantalones*). Dar uma sova é *dar la piaba; pasar en la sombra* é estar em repouso na prisão; o xadrez é *la gayola*, enganar é *meter la mula*, e *mula* ou *tongo* é o engano; diz-se *manyar* significando conhecer; *morfar* é comer, comida é *morfa*, dormir é *apollijar* e o dormitório é *apollijadero*.

De uma longa lista de expressões lunfardas, três me parecem particularmente deliciosas: *los caminantes*, que são os sapatos, *el sobretodo de madera*, que é o ataúde, e *la quinta del nato*, que significa cemitério. Sabendo-se que *nato* é aquele que se caracteriza por um nariz completamente chato, compreende-se a intenção com que o lunfardo se diverte à custa da caveira...

Rio de Janeiro, *Folha Carioca*, junho de 1944

Rumo: Sul (XXIII)

1

– Quero contar a você uma anedota, – disseram-me.

(Naturalmente, não é a minha especialidade, – mas vá lá! ninguém morre de ouvir uma anedota, – ou o mundo seria há séculos um vasto cemitério...)

– Que espécie de anedota você me quer contar? – pergunto ainda, como última precaução.

– Uma anedota política. Você vai rir muito.

– Conte lá.

– Mas aqui não pode ser.

– Onde, então?

– Deixe ver...

– Naquela esquina? Detrás daquela estátua? Naquele subterrâneo? No alto daquele edifício? Na mesa daquele restaurante? Lá naquela casa de chá? Num barco? Num bosque? No fundo do rio?

Como o barbeiro do rei Midas, a criatura estava sufocada. Mais prudente, porém, do que ele, nem num buraco da terra seria capaz de confiar. Por isso, leitor, não te posso contar a anedota...

2

Diante do meu apreço pelo lunfardo, resolveram também iniciar-me no "vesre". O "vesre" (transposição de "revés") é, como a palavra indica, uma linguagem "ao contrário", e o seu próprio nome está mostrando como se faz a troca das sílabas dentro do vocábulo. É uma geringonça acrobática exigindo rápida compreensão, pela mecânica instantânea da conversa. Se ao pai se chama "viejo", em "vesre" passa-se a tratá-lo por "jovié". Aplicando a técnica à língua portuguesa, diríamos "Togos tomui de carfi dolen em saca", para significar: "Gosto muito de ficar lendo em casa". Dir-se-ia "naljor" por "jornal", "torlei" por "leitor" e assim por diante. E uma vez que quase sempre todos entendem o contrário do que se fala, acho que seria vantajoso falar de vez em quando em "vesre", pela esperança de não se ficar tão perpetuamente desentendido. "Que ramosespe rapa meçarco?" (Além do mais, pode-se fazer uma certa figura de poliglota...)

3

Hoje, o parecido problema é ir almoçar na Boca. A Boca é um bairro fluvial, mais ou menos parecido com o Cais do Porto, com uma paisagem admirável de barcos de todas as cores erguendo das águas oscilantes uma floresta de mastros esbeltos.

Primeira versão: "A Boca é o sítio mais pitoresco para se almoçar, em Buenos Aires: caracteristicamente popular, e com excelente comida".

Segunda versão: "A Boca já foi um lugar interessante para os turistas: hoje, não há mais tipos populares, não há mais comida que valha a pena, não há mesmo mais Boca senão em imaginação".

Assim, amigos, só experimentando. Como este mundo está ficando difícil! A cada passo cada um de nós tem de ser, queira ou não queira, um São Tomé.

4

Num domingo, pelo meio-dia, a Boca — seja qual for a sua decadência — ainda me parece digna de ser visitada. As ruas de pedra têm solidão e silêncio e portas fechadas, como se as casas não tivessem moradores. Estarão fora, andarão pelo centro da cidade, lendo as placas dos monumentos, a caminho de cinemas ou de campos de futebol... E os barcos abandonados oscilam muito suavemente nas águas tranquilas, onde refletem vermelhos de zarcão, azuis de anil, verdes de azinhavre.

Os gastrônomos têm um talento que não me parece dos mais fáceis: conhecem todas as minutas de todos os restaurantes do mundo e levam bússolas no estômago para se conduzirem pelos caminhos culinários, nem sempre de simples navegação...

5

Aqui está uma casa famosa. Se tivéssemos de provar todas as suas especialidades, morreríamos esta noite, empanturrados só de provas. Então, ficamos numa canja, dessas que, – como diziam os árabes, – são capazes de levantar um defunto, e num prato de filhotes de peixe-rei que é pescado até relembrar, de tão pequeninos que são, com as espinhas ainda em estado de esquema divino, e os olhinhos negros, salientes nas duas polegadas do corpo transparente, e curvo como uma vírgula, – parecendo duas miçangas, presas num pequeno raio de lua. Repito que é um pecado comer-se esta iguaria – e que a ideia do pecado abafa o prazer de saboreá-la. Mas não há um Juízo de Menores para os peixes, e os gastrônomos dizem que nesta idade eles ainda estão muito indecisos entre os três reinos da natureza – translúcidos como a água, frágeis como um talo e apenas móveis como os bichos. Além disso, sem alma, sem pensamento, sem coração: – enfim, uma pura delícia que Deus inventa especialmente para passarem das águas para as frigideiras e destas para estômago humano. (Pois Deus tem pelo homem uma consideração que um grande número aceita, aprova, declara, mas não retribui!)

Numas prateleiras altas, forradas de papel recortado, amontoam-se garrafas de vinho.

As famílias alastram-se em redor das mesas, comendo, com vagares romanos, o que os romanos, com toda a sua fama, não chegaram jamais a provar.

Terceira versão da Boca: "Ou a gente come aqui, ou nos restaurantes de luxo. O resto, em Buenos Aires, são as casas de muita comida por pouco dinheiro, com jeito de taverna alemã, e sopas de repolho cozido com sabão, gulaches espapaçados, com molhos de pesadelo, e umas tortas de maçã que tiram o apetite por uma semana, com suas camadas superpostas de banha, e seu gosto pegajoso de estearina."

(Esta versão é muito respeitável.)

Rio de Janeiro, *Folha Carioca*, junho de 1944

Rumo: Sul (XXIV)

1

O governo argentino, interessado pela *argentinidad*, tem dado certo estímulo aos assuntos folclóricos. Não creio que as iniciativas dessa espécie, embora muito louváveis, sejam suficientes para fazer estimável um governo. E não falo apenas por mim: falo por um grande número de argentinos para quem essa simpatia pelo popular, em face de outras iniciativas e atitudes, chega a parecer desprezível e ridícula.

Eu, porém, tenho o meu jeito de amar as coisas. E se me convidam para um espetáculo folclórico, que me garantem autêntico, não quero pensar, no momento, senão em ser espectadora, deixando para discutir os outros assuntos depois da função.

E foi assim que, apesar de muita gente se rir à minha custa, de me ameaçar com indigestão e talvez morte, se comesse empanadas *criollas* – e outras ironias muito portenhas – que me deixei levar a um lugar muito longe, que se chama Flores, e onde há um clube absolutamente popular, com danças gaúchas típicas.

2

A primeira parte do espetáculo, verdadeiramente, foi a mais divertida. Porque organizaram um número de declamação, com um jovem que trabalha numa emissora, e que recitou no alto de um palanque uns versos patrióticos um tanto ameaçadores.

A declamação, tal como por aí se entende, já é uma coisa bastante abominável. O jovem alimentava um grande furor dramático, e os versos eram um diálogo em que o pai aconselhava o filho a não perdoar o inimigo, a não deixar o invasor pisar o solo sagrado da pátria, a reagir – enfim, um programa de defesa nacional, que eu, enquanto ele se desenrolava, ia perguntando a mim mesma: "que tenho eu com estas pavorosas coisas bélicas? por que cargas d'água se oferece ao meu pacifismo inflexível esta catadupa de argumentos marciais?" Mas achei melhor aplaudir, admitindo comigo mesma que ninguém sabe, neste mundo, o que está fazendo. Verdade essa muito profunda, tão aplicável ao declamador como, provavelmente, às minhas palmas...

3

O que eu queria era ver as danças. E isso foi muito agradável.

O clube reúne empregadinhas domésticas, soldados, comerciários, operárias, e é extremamente pobre. É mesmo um choque sair-se do centro de Buenos Aires e chegar-se à sua sede.

Com o fim de cultivar a tradição, as danças do clube – segundo me disseram – seguem o estilo folclórico: e os pares deslizam por um pátio cimentado com os ritmos tradicionais dos bailes gaúchos.

Mas naquela noite foi um grupo de moças e rapazes dançar especialmente o *gato*, o *pericón*, a *media cana*, a *zamacueca*, que se desenvolvem uns como quadrilhas, outros como danças pares, todos com uma graça espanhola ainda não perdida, uma grande elegância de gestos, uma expressão de apaixonado galanteio que conduz algumas dessas danças como um ato de fascinação, de magnetismo amoroso e sentimental.

4

Depois das danças, cantores de rádio vieram com seus violões recordar melodias populares, e uma cantora típica, a que chamam "*la negrita de Tucumán*", soluçou umas canções de amor e abandono, com grande caráter.

Crônicas de viagem I ✦ 149

Na verdade, gostei dela. Não vinha com artifícios de vedete, embora se percebesse que procurara – sem resultado – esmerar-se no vestir. Era pobre, via--se que era pobre, que sua riqueza era sua voz, era sua humanidade apaixonada e um pouco trágica. Cantava como se estivesse narrando coisas de sua vida. E era escura como canela, e com uns cabelos lisos de índia. Por isso a chamam "*la negra*". E seus olhos brilhavam na noite como ameixas em caldas. Era tão bonito vê-la cantar! Parecia uma coisa de antigamente. Uma pessoa que não existisse hoje em dia. Sua voz escorria doce e triste, com uma espessura de óleo. Uma espécie de Marian Anderson, que tivesse saído de um rio, por entre árvores, e andasse fugida na noite. Era talvez a luz dos seus cabelos, lustrosos, dos seus olhos tão líquidos... – não sei: parecia um rio, no escuro, cantando.

5

O bufê do clube tinha de ser, naturalmente, de comidas populares. E a mais popular comida, num bufê argentino, é a empanada *criolla*. Ora, a empanada vem a ser o mesmo que um pastel de carne, com a respectiva azeitona. Apenas, ou porque o argentino tenha mais carne e mais trigo do que nós, ou porque o seu estilo seja assim mesmo, a empanada *criolla* é feita com massa mais grossa e um recheio muito mais abundante. Enquanto nós suamos para que a massa do pastel fique rebentando em bolhas, e acabe transparente e quebradiça, o argentino enrola apenas o recheio de carne, temperada de maneira um pouco acre, e acompanhada de uma azeitona colossal, numa pasta maciça e incorpórea como mata-borrão.

Pelas empanadas não tenho nenhuma ternura, mas no ambiente modestíssimo em que as serviram havia pelas paredes, pelos móveis – creio que querendo encobrir a pobreza – uns ponchos lindíssimos, fiados, tingidos e tecidos por uma velhota dos arredores, especialista em trabalhos desses.

Isso era na verdade uma coisa linda, e prometeram levar-me a velhota ao hotel, para eu a conhecer e admirar as suas criações.

Rio de Janeiro, *Folha Carioca*, junho de 1944

Rumo: Sul (XXV)

1

A velhota apareceu no hotel, na manhã de chuva, caminhando a custo, toda vergada para o lado, carregando uma grande mala de couro, que mal se sustentava fechada, de tão cheia. Tinha cara de índia, bastante deformada pelo tempo, com rugas tristes; mas enfeitava-se com pós brancos e vermelhos que, agarrados a algum creme pegajoso, lhe imprimiam às feições uma curiosa máscara.

Seu cartão de visita apresentava um nome longo, com ressonâncias espanholas e guaranis entrelaçadas.

E era uma simpatia, a velhota. Falava muito, é certo. Falava também um pouco alto demais. Via-se que sua voz estava atravessando as paredes do quarto. Mas que intimidade! Que desejo de comunicação! Ainda arquejava do peso da mala, e não se queria sentar; o que queria era mostrar-me os ponchos, fiados, tingidos, tecidos pelas suas mãos. Mesmo que eu não comprasse nenhum – acrescentava. Era só para que eu os visse. E começava a puxar as correias da mala.

Crônicas de viagem I ✦ 151

2

Começou a estender pelo quarto os seus ponchos de muitas cores, enquanto me contava sua vida, suas viagens, seus casamentos. Não sei se tudo seria verdade ou imaginação, porque as naturezas criadoras facilmente misturam o sonho com a realidade. Mas era tudo maravilhoso. Contava-me as suas subidas pelos Andes, suas incursões por lugares difíceis, à procura de lãs finas de animais esquivos; sua frequentação de índios ariscos, e a conquista paciente de sua confiança, para conseguir segredos de tinturaria primitiva; o estudo das diversas técnicas e dos estilos de ponchos, todos diferentes em cor e desenho, e, finalmente, as suas realizações; aquele poncho ali tinha estado nas mãos do general Ramirez... e o presidente Vargas também tinha um, como aquele outro, que eu estava mirando, no tom natural da vicunha e – explicava-me – com uma beiradinha verde e amarela, de acordo com as cores da bandeira.

3

Na verdade, a velhota interessava-me muito. Separou logo um cinto entretecido de branco, vermelho e preto, com uns bonequinhos de mãos dadas, e disse-me: "Isto é um presente que lhe ofereço. Não é preciso que me compre nada. Tenho prazer em mostrar-lhe o meu trabalho. Se não gostar deste cinto, pode escolher outro."

Os ponchos alastravam-se por cima das camas, por cima das poltronas, por cima das mesas... Eram como tapetes, eram como bandeiras, enchiam o quarto de chamas, com suas cores de incêndio; enchiam o quarto de primavera, com suas cores de campo.

E a velhota, a rir – ela ria muito, ela dava grandes gargalhadas felizes –, dizia-me em segredo que o marido a ajudava também, no trabalho: tecia as franjas dos ponchos...

4

O poncho é uma peça de vestuário que dá enorme dignidade à figura. A roupa do homem atual, segundo um amigo meu, consta apenas de um conjunto de canudos de pano. O poncho ressuscita a elegância das pregas, dos drapeados, das túnicas, das clâmides, das togas. Um ginete vestido à ocidental é apenas um ginete. Mas, com um poncho pelos ombros, passa a criatura sobrenatural: o vento, que é amigo do poncho, abraça-o e leva-o pelos ares – e o ginete passa pelas coxilhas como um veleiro num verde mar coalhado; como um arcanjo vigiando a solidão. De mais longe, o homem desaparece; apenas o poncho palpita sobre o cavalo. O animal fantástico vai-se desprendendo da terra, com asas longas e cascos breves. Os olhos mitológicos recordam: Pégaso.

5

A velhota falava-me de seus fios, de suas tintas, de seus teares. Da durabilidade de seu trabalho. Da maneira de decepcionar todas as traças do mundo que atentassem contra os seus ponchos. Do processo de lavá-los e secá-los ao sol, de modo a conservá-los indefinidamente.

Depois, foi dobrando todos os panos, e guardando-os na mala. Desapareceram os amarelos solares, os vermelhos sanguíneos, o ouro pálido das vicunhas, as largas riscas, as flores monumentais...

Desejou-me muitas felicidades, pediu-me que a recomendasse aos meus amigos, que lhe comunicasse qualquer coisa que acontecesse com o meu poncho, foi amável, cordial, generosa, alegre, e disse-me que já tinha mais de setenta anos.

Por fim, agarrou a mala, que era pesadíssima, pegou o guarda-chuva, não quis que ninguém a ajudasse, e pediu-me que desse muitas lembranças suas ao presidente Vargas. Para identificar-se, acrescentou: "Eu sou aquela que teceu o seu poncho de vicunha, de beiradinha verde e amarela!"

Rio de Janeiro, *Folha Carioca*, junho de 1944

Instantâneo de Montevidéu

Há um pombo constantemente pousado na cabeça do general Artigas.

Isto de se dizer que as cidades de ruas paralelas são muito fáceis de aprender merece experimentação. Porque sempre nessas cidades há uma transversal oblíqua, traiçoeiramente, comprometendo a orientação do forasteiro.

Enquanto o pombo sonha na cabeça de Artigas, os fotógrafos, embaixo das árvores, tiram retratos de casais felizes, com a primogênita vestida de azul. E os alto-falantes irradiam para o povo concertos de música clássica, ouvidos pelos passantes, pelos motoristas que esperam freguesia, e pelas pessoas pachorrentas que se sentam nos bancos da praça.

Se hoje não é dia de greve, amanhã será. Greve de qualquer coisa: dos estudantes, que pretendem alguma reforma; dos motoristas, que precisam de nafta. Até se escrevem cartazes que se deixam pelas portas das lojas, pedindo ao público o favor de cooperar com a greve...

Mirar as tabuletas das casas comerciais não é uma grande ocupação: mas tem seus encantos. Almacén de Venus – era apenas uma casa de conservas, com torres de latas superpostas. – Vênus também deve ser já uma conserva, dizia-me um amigo. Panaderia de la Amistad. Não estais vendo os alvos pães fraternos, dirigindo-se, em filas mornas e fofas, para o vosso café matinal? Almacén El Sol Nace Para Todos. Isto sim, que é a imagem da cooperação, da solidariedade e da justiça. E dá vontade de se examinar as balanças de um armazém destes. El Cirujano de las Navajas, La Catedral de las Camisas, El Sanatório de las Plumas, El Palacio de los Sandwiches são denominações comuns com que topamos a cada passo. Mas esta não: esta era a mais poética frase jamais inscrita numa tabuleta: *"Angel Amoroso, especialista en dorados y plateados"*. Apenas, uma senhora experiente me desiludia: "Qual Angel e qual Amoroso! Um tratante, que sempre mistura os talheres que se encarrega de pratear!"

Lojas, lojas, lojas. Lãs em profusão. Ruas cheias de gente. O comércio fecha todo para o almoço, e leva tanto tempo fechado que é preciso correr, para as compras urgentes.

Os ônibus transitam superlotados. Carregam de pé os passageiros que conseguirem comprimir-se dentro. O condutor vai dizendo: *"Adelante! Adelante!"*, para dar melhor arrumação aos passageiros que vão de pé. Num dado momento, já é impossível ir mais adiante. Então, o condutor procura persuadir aquela pequena multidão: *"Un poco de buena voluntad!"* Mas não há *"buena voluntad"* que consiga fazer mais nada.

Sair do ônibus é que constitui uma dura prova. Não é permitido tocar a campainha. O candidato deve esticar o pescoço na direção do condutor, e emitir, no ponto justo, um "pst, pst", que é o sinal convencionado para exprimir seu desejo de saltar. Entre esse sinal e o ponto de parada, deve o candidato movimentar-se no meio da aglomeração, a fim de atingir a porta de saída. É muito difícil conseguir-se uma coincidência perfeita. De modo que, ao chegar à porta, o passageiro verifica que o ônibus já está em movimento, e volta a fazer "pst, pst", resignando-se a esperar pela próxima parada. E o condutor continua a dizer *"Adelante! Un poco de buena voluntad!"*. (Para quem anda a passeio, e quando não tem hora marcada, é um espetáculo muito pitoresco.)

Há muitos lugares para os apreciadores de churrasco. Embora o assunto seja um tanto canibalesco, muitas senhoras – como é natural – por ele se interessam com grande elegância. Vestem suas peles que tão aperfeiçoadamente recordam os saudosos tempos da vida nas cavernas, cobrem-se de broquéis de brilhantes, sentam-se com bons modos que denotam séculos de civilização – tudo isso para comer um pedaço de carne assada no espeto. Um pedacinho assim – de quilo e meio ou dois quilos.

Como se sabe, a graça do churrasco é ser churrasco só: nada mais. É uma graça determinada pela fatalidade das dimensões do estômago humano, e de sua elasticidade. De modo que as damas – e os cavalheiros – recebem seu prato com a posta de carne fumegante, e com seus dedos cheios de anéis vão partindo aquele colchão em pedacinhos – porque são senhoras de fina educação – e com seus lábios carminados vão tomando aquela carne quase viva, e com seus dentinhos bem escovados vão mastigando aquele manjar, ao mesmo tempo que fazem considerações sobre a maciez do bocado, o seu sabor e outras sutilezas.

Esse é um dos aspectos do turismo, em Montevidéu. Vêm pessoas de longe pensando em churrascos. Mas também há pessoas que vêm procurar museus, livrarias, exposições de pintura. E encontram tudo isso com muito menos trabalho, e de tudo isso se servem com muito menos complicação.

Os elevadores das casas de modas descem e sobem como anjos de vidro entre sedas, perfumes, carteiras, sapatos, agasalhos...

O doce típico de Montevidéu vem de Paissandu e chama-se *chajá*. Fazem--no em vários tamanhos e apresentam-no envolto em papel de garantia, com dizeres impressos. O *chajá* individual tem o tamanho de qualquer doce redondo de confeitaria. É uma massa fofa de farinha, manteiga, açúcar e ovos, com um pedaço de pêssego de compota dentro. O doce é coberto de uma camada de suspiro e outra de creme *chantilly* e polvilhado de suspiro amassado. O pedacinho de pêssego que vai dentro amansa um pouco esse despotismo do açúcar.

Tudo aqui é às seis e meia da tarde: as conferências, as inaugurações de exposições, os concertos – isso é o que torna um pouco difícil poder-se ver tudo quanto se deseja. Porque ainda se conhecem pessoas que se interessam ao mesmo tempo por todas essas coisas...

Não é só Artigas com o seu pombo que enfeita Montevidéu: há outras estátuas, há um obelisco, e há a famosa "Carreta". Existe sempre uma pessoa com um automóvel que traz o forasteiro para contemplar esse monumento, que acham uma obra-prima.

Outros, com o devido respeito, perguntam por que se há de consagrar com tanto bronze um carro de bois em cima de um canteiro.

A Carreta é um monumento absolutamente realista, com uns bois possantes, e foi imaginada no momento de escorregar por uma rampa. Entre as muitas coisas que se contam a seu respeito, fala-se de um cãozinho que fazia parte do conjunto e que teria desaparecido, sem se encontrar até agora o ladrão.

Conta-se também que agora vai ser inaugurado um monumento à diligência. Esse interesse pelos meios de transporte deixa alguns artistas apreensivos em relação ao futuro dos jardins de Montevidéu.

Mas isso são os artistas. Porque há outras pessoas que têm comprado até cópias dos monumentos, e sem dúvida ainda aparecerá alguma, com mais dinheiro, capaz de comprar os próprios monumentos, e tirá-los dos jardins, e levá-los para casa, por um requinte de prazer extravagante.

O parque Rodó é um paraíso de pombos – tão mansos que se deixam tocar até pelas crianças. As grandes árvores, a larga relva se harmonizam numa serenidade imensa. Foi uma ideia bela, dar-se a este parque o nome que tem. E não só Rodó está lembrado assim, todos os dias, por toda a gente: no bairro onde está a casa – hoje museu – de Zorrilla de San Martín, cada rua tem o nome de um de seus poemas – o que é significativo para a cultura literária do povo uruguaio.

Todos já ouviram dizer que Montevidéu tem um Cerro. É a única elevação da cidade. Dizem por brincadeira que não passa de quarenta metros; mas é bem possível que seja cinco vezes mais alto. No entanto, a tradição considera a fortaleza do Cerro inexpugnável. Quando alguém discute essa inexpugnabilidade, e sugere: "mas com um canhão... mas com um bombardeiro...", o interlocutor resolutamente responde: "*No hay caso.*" Perguntam se nem Cristo seria capaz de forçá-la. Cedem um pouco: mas observando que o próprio Cristo "*saldría muy lastimado*".

O lugar mais sonhador de Montevidéu tem um nome agressivo: chama-se Carrasco. É um bairro de praia, urbanizado com extremo bom gosto – belíssimas casas residenciais, de vários estilos, em pedra tosca, em tijolo, acasteladas, cobertas de hera, redondas de salgueiros, de altas árvores delicadas, circundadas por jardins rasos como tapetes ou sombrios como bosques.

Carrasco é sítio de veraneio. Agora, em pleno inverno, seus hotéis estão fechados, suas belas casas desabitadas. Sempre se encontra alguém pelas ruas – que parecem alamedas de um parque. Alguém a cavalo, alguém de bicicleta, alguém de automóvel. E ainda se encontra aberta a salinha de chá do Cottage, com lareira flamejante e cortininhas floridas. É doce, a tarde de inverno, ali.

Rio de Janeiro, *A Manhã*, 22 de julho de 1944

Recordação de um dia de primavera

Ouço dizer que chega a primavera: e diante de mim é apenas mar – que tem ruído de floresta na fronde branca das ressacas – mas que não floresce senão nesses jasmineiros breves da espuma.

Lembro-me, porém, de Xochimilco – e tudo fica em flor em redor de mim...

Quando eu disse que ia a Xochimilco, logo uma voz me respondeu: "Não deixe de ir, pois agora é a estação das flores!"

O motorista sabia tudo: o passado, o presente e o futuro do México. E enquanto o carro ia rodando, desfolhava o baralho da sua cartomancia: Maximiliano, Porfírio Diaz, Juaréz saltavam de um lado e de outro da estrada, com a efígie rodeada por esses arabescos que a imaginação popular borda, no correr de semelhantes narrativas. E aos homens vieram misturar-se os deuses, nesse amistoso convívio de todos os tempos: Quetzalcoatl, generoso e bom, e o tenebroso e sinistro Tezcatlipoca acompanhavam a velocidade do automóvel, presentes e à flor da terra, como nos tempos em que andaram inventando o fogo, a água, o vento, e os homens que sobreviviam a essas aventuras eram transformados em macacos, em pássaros e em peixes.

O motorista sabia tudo, tudo. Tinha certo constrangimento, ao procurar as mais diplomáticas explicações, a fim de dar-me a entender que os naturais do lugar, em consequência da situação a que os reduziu o conquistador espanhol, e como defesa psicológica, tinham adquirido, com o andar dos séculos, uma conduta por vezes um pouco sinuosa, que um forasteiro poderia tomar por uma certa esperteza, uma certa manha, uma certa velhacaria... – mas era a melhor gente do mundo! Sob essa aparência um tanto confusa (o que aliás, acrescentava, acontece em muitos lugares...) – e, uma vez o contato estabelecido, em bases de mútua confiança, todas essas dúvidas desapareciam, na tranquilidade de um convívio muito saudável.

O motorista dizia essas coisas com uma grande elegância, nem acusando nem defendendo muito às claras: falava de um modo geral... em tese... – como quem está preparando um ensaio, e experimenta o peso de suas teorias.

Tudo isso porque, em Xochimilco, devia-se fazer um passeio de barco; e o seu grande receio era que o barqueiro, índio puro, se portasse mal nas contas, e deitasse a perder a reputação da raça. O motorista sabia toda aquela nomenclatura arrevesada dos primeiros povoadores do Anáhuac. E, além dos nomes históricos – que sempre me produzem uma grande admiração pela criança mexicana que presta, na escola, exame de matéria, – sabia fatos geográficos importantes: onde era lagoa e onde não era lagoa, e coisas do Popocatepetl, e dos rios e da Serra Madre.

Mas o barqueiro, e suas manhas, não lhe saíam da cabeça, pois, ao chegarmos a Xochimilco, disse-me: "Como a senhora fala espanhol, eles vão pensar que não é estrangeira..." E piscou-me o olho. E foi-se entender com ele. E combinaram o preço. Mas tanta era a sua camaradagem que me recomendou: "O passeio custa tanto: – não lhe dê nada mais!" E ficou pela margem, esperando.

Esta região de Xochimilco é de grande fertilidade: legumes e flores alcançam aqui dimensões admiráveis. Mas o que primeiro se avista é o conjunto de verdes da paisagem, desde o da água musgosa e trêmula ao das altas copas do arvoredo que circunda este sistema de canais. A luz do sol atravessa árvores, arbustos, ondas – e tudo cintila de tal modo que se tem a impressão de estar penetrando um mundo de esmeralda, de esmeralda anoitecida – toldada com asas pardas de pássaros, com franjas de sombra, por um escorrer de umidades, que são estes lodos em que água e terra se misturam, na despedida longa das divindades primitivas, que não se decidem pelos limites dos seus respectivos elementos.

O barqueiro índio ajuda o passageiro a subir para o barco com um sorriso malicioso e delicado nos lábios orientais. O barco tem uma coberta arredondada, e o pórtico é todo forrado de corolas de dálias de duas cores. Umas formam o fundo, onde se destaca, também todo recamado de dálias, o nome da embarcação. A água está coberta desses barcos. Um se chama "Consuelo", outro "Guadalupe": – este se chama "Helenita" em letras brancas sobre vermelho arroxeado.

Vai remando o barqueiro – e é uma florida quadrilha nas águas. Os barcos enfeitados não transportam apenas passeantes: alguns têm um fogareiro, onde as índias preparam comidas típicas; outros, um harmônium que vai tocando o que alguém se lembrar de pedir; há barcos repletos desses belos panos mexicanos que se usam como ponchos, e que se chamam *sarapes*; há os de lindas cestas e chapéus de palha com copas de pão de açúcar; e há os barcos de flores! – os ramos de dálias são tão grandes, tão compactos, que não se distinguem as corolas – e há outras flores que nem se reconhecem; apenas se veem deslizar ao rés da onda aquelas braçadas copiosas de vermelho, de cor-de-rosa, de branco esverdeado, de amarelo, de roxo... São como almofadas policromas, ao redor de índias imóveis, sentadas, sérias e fora do mundo, com seu rosto de ídolo...

Tudo desliza com uma fluidez de sonho: a água parece um chão de vidro – assim polido, assim transparente, assim escorregadio. Mal se move o remo, como se fôssemos levados por uma superfície inclinada. Cruzam-se os barcos com uma graça de bailado, sumindo-se e reaparecendo nas voltas dos canais, pela sombra de árvores inclinadas, de onde se espera ver sair uma ave mitológica ou uma serpente mágica.

Ouvem-se vozes longe, caindo na água como folhas. Risos dos que passeiam. Sustos. Sustos pela solidão, que continua a existir apesar de tanto movimento – porque estes são uns movimentos suaves, que têm um jeito sobrenatural. E a beleza assusta, igualmente – esta beleza enigmática da água abraçada à terra toda úmida, este contato plástico da natureza que recorda antecedentes telúricos, nascimento do mundo, fabulosos paraísos, e misturas de lava e de constelações.

Daqui não se pode levar um ramo de flores – porque elas são escandalosamente enormes. São como certas criaturas cuja glória se faz insuportável. As pétalas parecem de carne e sangue. E o orvalho que trazem é como um choro grande. O choro grande das excessivas glórias.

O barco das flores acerca-se, chega-se ao nosso: encostam-se um ao outro. Fica-se numa intimidade de jardim, mirando aquele robusto canteiro flutuante: – não, não se pode levar nada...

Mas a indiazinha se lembra dos amores-perfeitos: levanta nas mãos o buquê aveludado, em que cada flor é uma parada borboleta cor de vinho, amarela, lilás, salpicada de ouro e negro, como pele de tigre. O orvalho rocia aquela fina penugem sem chegar a umedecê-la; deixando-a apenas prateada, ao sabor da luz.

E assim está a indiazinha de pé, no barco apenas levemente oscilante: sorrindo um sorriso milenar, que é o mesmo das pedras do museu, na face dos deuses múltiplos e complexos. Seus olhos estão cheios de um sono de raças, de tempos, de confusões mitológicas e linguísticas. Emerge das flores vistosamente coloridas, pálida como os marfins escurecidos. E entre águas, lodos, limos escorregadios, folhagens pendentes, verdosos brilhos de onda vidrada, seu rosto é assim como a terra seca dos desertos mexicanos – terra que se vai desagregando, árida, calcinada.

Essa mão de terra triste levanta o buquê de flores como se fosse ela mesma o púcaro de barro onde elas estivessem vivendo, ou o torrão de jardim onde tivessem nascido.

A indiazinha fala uma língua rápida e leve, um espanhol sem asperezas, como o inglês que os chineses falam. Algumas consoantes desaparecem, são tragadas. Algumas vogais se abrem de modo diferente, grandes demais na boca. E há uma espécie de gemidozinho, uma ternura sussurrada, uma adocicada queixa que é o modo desta gente do povo conversar ou negociar.

O barqueiro não se esqueceu de aumentar o preço do passeio, como o chofer previa. Mas sem grande insistência. Assim como quem não quer a coisa. Meio distraído. "Ah, bem, bem, já estava pago...? Então já estava pago mesmo...." E equilibrava-se na embarcação indecisa nas águas, acostumando-se outra vez a estar vazia.

O sol estava mais alto. Os barcos floridos espelhavam-se pelos canais. A água sedosa, lustrosa, alongava rastros sanguíneos e roxos.

"A deusa das flores", dizia o chofer, "tem dois penachos e chama-se Xochiquetzal. É casada com Xochipilli, o príncipe das flores, que está de pernas cruzadas, todo coberto de flores e borboletas..."

Ele sabia tudo, tudo: ele me contaria o verão e o inverno, a chuva e o sol e todas as estrelas do seu país. Mas só me contou alguns pedaços da primavera. Uma primavera diferente da nossa, diferente de todas, nutrida de lendas como se fosse a primeira primavera depois da criação do mundo.

Rio de Janeiro, *Diário de Notícias*, 27 de setembro de 1944

Primeiro instantâneo de Buenos Aires

Naturalmente, sempre há criaturas de boa vontade, que se antecipam a fazer-nos a descrição das cidades para onde vamos. Assim, por muitos lugares, de variada gente, ouvi que Buenos Aires era uma cidade antipática e solene, transbordante de bifes cúbicos de meio metro de aresta, com toda a espécie de agasalhos de peles e de lã amontoados em balcões infinitos, carteiras de crocodilo maiores do que os próprios crocodilos, e tantas lojas de elegância masculina como se a cidade estivesse permanentemente à espera de uma visita – ai dele! – do belo Brummel.

Mas Sidarta Gautama, um príncipe que pouca gente conhece, e de que alguns falam sob o nome de Buda, disse uma vez: "Não creias em nada por ouvir dizer. Não creias pela fé das tradições, que são transmitidas por longas gerações. Não creias em nada só porque tenha sido dito e repetido por muita gente. Não creias sob o testemunho de nenhum sábio. Não creias em nada só pelas probabilidades que haja em seu favor, ou porque um velho hábito te induza a essa crença. Não creias no que imaginaste, pensando que um ente superior te fez uma revelação. Não creias em nada só pela autoridade dos mais velhos ou dos professores." E assim, bem prevenida com esse repertório contra as ideias preconcebidas e contra toda casta de difamações, pisei em Buenos Aires num domingo de sol, pronta a enfrentar a turba inimiga armada até os dentes contra qualquer indefeso brasileiro (segundo se propalava).

Sinto que o meu heroísmo não tivesse tido oportunidade de ser posto à prova; mas, em compensação, as palavras de Sidarta Gautama ainda uma vez mostraram sua inexcedível e pacífica sabedoria.

Olhei para um lado e para o outro, desafiando o acérrimo inimigo. É verdade que era domingo. Estariam descansando, de folga, desatentos à minha chegada...? – E diante de mim se abria a alfândega: a primeira alfândega do mundo que me inspira verdadeira simpatia, – tão limpa, tão vasta, tão irrepreensível, com uns empregados de avental branco, andando como cirurgiões em redor do ventre aberto das malas. De modo que eu, tendo ouvido falar de uns monstros terrificantes que arrancavam os charutos dos bolsos dos pobres forasteiros, como fazem os nazis nos filmes; de uns ogros que tiravam as caixas de bombons das crianças, e ainda arreganhavam para elas os seus dentes nefandos, empapados de chocolate; de uns cérebros que viravam as senhoras pelo avesso, com a intenção de lhes surripiar imaginárias águas-marinhas das rendas dos corinhos ou das costuras das meias, – detive-me, perplexa, diante do cavalheiro que nem sujava de giz as maletas, mas aplicava-lhes um talãozinho numerado, como um bibliotecário aplica uma etiqueta num livro.

E assim perplexa vim andando, e, por entre palácios banhados por uma formosa luz matinal, atravessei largas ruas, amplos jardins, um vestíbulo atapetado, um elevador perfeitamente digno, e fui parar num apartamento com ar, luz, cortinas, tapetes, e uma banheira fabulosa que, com um jorro d'água cristalina, transbordava em menos de três minutos.

As torneiras funcionavam, os espelhos estavam limpos, as toalhas eram realmente brancas, os lençóis estavam verdadeiramente lavados, o tinteiro tinha tinta, a caneta tinha pena, a pasta tinha mata-borrão, a gaveta tinha papel de cartas, a calefação estava regulando e o rádio da parede também... (Uma pessoa que viaja investiga o terreno por onde pisa por essas pequenas indicações.)

É certo que o rádio, uma vez ligado, pôs-se a transmitir uma irradiação conjunta em que o Santo Sacrifício da Missa alternava com as ordens de um comandante mandando levar armas ao ombro e dar meia-volta. O orador sacro, porém, agradecia a Deus ter dado à Argentina campos de trigo para a hóstia e as uvas de Mendoza para o vinho sacramental. Acrescentava, porém, que os argentinos, chegando a hora de enfrentar o inimigo, deviam estar bem robustos e sem vacilações. Mas logo pedia perdão para todos os pecados. Sucede, porém, que eu não estava vendo nada disso: estava apenas ouvindo. E deitada nos cheirosos lençóis do linho que Deus ternamente ofereceu àqueles campos, repeti as palavras do príncipe Sidarta Gautama: "Não creias em nada só porque tenha sido dito e repetido... não creias no testemunho dos sábios... nem nas tradições... nem na base de probabilidades... etc." E reclinada nesse cômodo e pacífico abismo de descrenças, fiquei entretida vendo os pombos pelo céu e a luz do sol espelhando as vidraças dos palácios...

Depois – a criatura humana é tão volúvel e imperfeita! – decidi-me a procurar o inimigo que devia estar emboscado à minha espera, em qualquer parte. Sim, como não? devia estar. Não era aquilo um acampamento contra nós todos, os brasileiros? Para a frente, pois! Franzi o sobrolho com brio e saí pela cidade, com um passo de D'Artagnan, desarmada e feroz.

Ora, Buenos Aires, aos domingos, é uma felicidade. Uma ou outra pessoa passa desinteressada, estreando sapatos extraordinários, chapéus inverossímeis, lenços gloriosos, gominhas – esse cola-tudo dos cabelos – de deixarem estarrecida qualquer criatura de longe... Os tipos domingueiros são idênticos por toda parte.

Mas estão expostas as vitrinas. Ai, as vitrinas de Buenos Aires! Para a visita de Brummel estão arrumados finos chapéus, bengalas irresistíveis, águas-de--colônia que trescalam pelo rótulo, luvas e gravatas – num arranjo de natureza--morta. Para obsessão das senhoras, alinham-se as carteiras de crocodilo e as outras, com todas as formas do mundo e todos os fechos imagináveis. Para tentação das crianças, alastram-se os mostruários de chocolate, doces de frutas, biscoitos, com todas as seduções tecnicamente dirigidas do papel celofane, do papel metálico, do açúcar cristalizado e das cores e transparência inerentes à matéria em apreço. Isto sem falar nas tortas e nos bolos, com ramos de flores de confeiteiro, palavras amistosas em relevos azuis e róseos, rendas de papel, bolinhas prateadas de confeitos... Só para dar um exemplo, falarei de uma paisagem russa com trenó e viajantes, tudo coberto de neve, que era glacê branco estendido na estepe de chocolate. Não chegava a ser em tamanho natural, – mas, em estilo de narrativa de viagem, não andava, na verdade, muito longe... Falar das casas de modas, das vitrinas de móveis, pratas e outros artigos levaria muito tempo; quero falar de livros. De livros sobre todos os assuntos, com todas as apresentações, em todas as línguas. Isto, sim, que é uma desgraça, chegar a

Buenos Aires num domingo e parar diante de uma livraria fechada... – Mas há os teatros: anúncios por toda a parte: Margarita Xirgu, os Sakharoff, a ópera de amadores, teatro clássico... E na escada de um subterrâneo, o anúncio de um circo! – Deus meu! fazei com que anoiteça depressa, e dividi o meu corpo em pedaços, e reparti-os, cada um com uma entrada para estes vários espetáculos! – É claro que Deus ainda não dá importância a essas súplicas malucas. E fiquei inteira, de corpo, mas com a cabeça rodando, no meio das praças, como um cata-vento.

Tornei a lembrar-me, então, do inimigo. Quis subir pelo pedestal de uma estátua, e estendendo o braço, como já está no hábito do bronze, perguntar às brisas que andavam distraídas pelo sol: "Onde estais, ó bravos adversários? Vinde, com os vossos canhões, que os vereis emudecer ante a lealdade fraterna do meu peito exposto aos seus projéteis!" Estive disposta a falar assim marcial-mente, – para descer depois, com a majestade dos meus puros sentimentos, aqueles degraus de mármore e granito, e estreitar nos braços os valentes que me tivessem escutado.

Mas o céu era tão tranquilo, o sol tão transparente, as pessoas que ca-minhavam pelos jardins tão desatentas a qualquer discurso dessa espécie, as estátuas tão sossegadas na sua glória, os palácios tão silenciosos, o chão tão admiravelmente limpo – e as lojas tão maravilhosas, que eu não podia senão pensar no Buda: "Não creias em imaginações, em fantasmagorias, no que ouves dizer, nem no que parece possível..."

Vi as igrejas, vi os bancos, vi as empanadas, esse pastel nacional, chaman-do os glutões, com a sua cara papuda de farinha de trigo recheada de carne moída... Vi os automóveis, passando, a preços ínfimos... Vi a dança grande e fria do vento, no verde parque de San Martín... Uma serenidade assombrosa embebia todas as coisas: o domingo dormitava, em Buenos Aires, como um atleta ao sol.

Rio de Janeiro, *A Manhã*, 18 de outubro de 1944

Segundo instantâneo de Buenos Aires

O automóvel, em Buenos Aires, é um meio de locomoção absolutamente normal. A um simples gesto do porteiro do hotel, que parece um gafanhoto de alamares e boné, automóveis de todos os feitios se apresentam, e quase todos são muito confortáveis.

Domingo à tarde: o centro da cidade vazio, exceto quando passa a onda que volta dos cinemas e se dirige para as casas de chá. Onda compacta, bem vestida, bastante rumorosa.

É preciso visitar Palermo, dizem. Visitemos Palermo. Os argentinos orgulham-se deste recanto de árvores e águas, repousante pela sua vastidão, pelo conjunto da paisagem, excepcional nesta bela cidade a que a natureza recusou peremptoriamente todos os encantos, e onde, portanto, a teimosia humana teve de resolver com artifício todas as suas ambições.

A afluência a Palermo é considerável. O sol frio, no verde-claro de árvores, faz pensar na Europa. O azul do céu é também esmaecido, como se o estivesse gastando o vento cortante que sopra. Há tantos automóveis particu-

166 ✦ Cecília Meireles

lares parados, e são quase todos tão bonitos, que se é levado a pensar que uma porção de gente vem aqui para ver a paisagem, outra porção para ver os automóveis, e, finalmente, uma terceira para ver a gente que vem ver a paisagem e os automóveis. Eu, por exemplo, me sinto neste último grupo.

A vantagem de se estar na minha situação é que se vê tudo isto rapidamente, sem ser preciso parar sequer o automóvel. O que mais enternece são os namorados. Os namorados, aos domingos, com suas águas-de-colônia, seus laçarotes, suas gravatas novas, seus sapatos apertados, suas unhas limpas, dão à paisagem uma novidade comovedora. Com eles, o mundo principia cada domingo. Esse lirismo hebdomadário também desfila aqui em Palermo, misturado a caramelos e ao lirismo dos recém-casados, um pouco aturdidos com o descobrimento da vida, e ao lirismo das crianças que marcham à frente das famílias já sem lirismo, entretidas com os detalhes coloridos da turba risonha que passa. (Aqui ouvi um pregão de amendoim torrado.)

É preciso ver uma casa de chá por dentro – dizem. E eu obedeço.

Todas estão igualmente intransitáveis, mas é preciso criar coragem. Crio. Na rua, tirita-se de frio, embora ainda esteja brilhando o sol. Passam peles. Peles de todos os tons, de todos os animais, de todos os preços. Quando foi que os pobres bichos, proprietários autênticos daquelas roupagens, pensaram vir a ter umas caras tão perfumosas, com umas boquinhas tão desenhadas e lustrosas, e umas cabeleiras tão extravagantes, com uns chapelinhos de cotilhão, expressamente feitos para implicarem com o vento?

Entrar numa casa de chá, neste momento, é relativamente fácil: os argentinos não reparam muito se a porta envidraçada que abriram vai bater sobre quem vem atrás – mas depois da primeira experiência já se fica avisado sobre os costumes, e nunca mais se fica com equimoses nas pernas. Agora, o difícil é conseguir lugar nas mesas. Porque diante destas tortas, destes bolos, destas torradas e outros divertimentos assim, nunca se pode prever até onde chegará o apetite de um pobre mortal, principalmente quando se sabe a temperatura que faz lá fora, e o valor calorífico da manteiga, do açúcar, das amêndoas e do chocolate...

Uma orquestra de moças verdes está lá em cima tocando. Os vestidos das moças é que são verdes; mas isso, afinal, é um instantâneo literário, não um testemunho policial, – "*vaya!*" – como se diz por aqui.

É realmente admirável a abundância de víveres nesta cidade! Também isso é uma razão para se comer interminavelmente. Pois não seria um pecado deixar para amanhã, tristes, abandonados, fazendo todos estes ramalhetes de açúcar, estes lagos de gelatina, estes monumentos de ovo, estes canteiros de ameixas e cerejas, estas grutas de frutas cristalizadas que se podem comer hoje?

E enquanto se come fala-se tanto – apesar do paradoxo – que não se sabe, por fim, se a conversa é para abafar a música ou a música para abafar as vozes. Toma-se o chá e sai-se para o frio, embora valesse talvez a pena acompanhar algumas expressões inesperadamente sentimentais que ou a música, ou os doces, ou a hora, ou o inverno, ou talvez mesmo o coração humano, ainda são capazes de produzir, em algum recanto de sombra, entre os espelhos.

Agora, é preciso digerir todo este trigo, esta manteiga, este açúcar, estas compotas, este chocolate: vamos andar pelas ruas, onde outras pessoas fazem a mesma coisa, pela simples razão de termos todos de preparar novo apetite para a hora do jantar. Assim estamos plenamente no exercício do moto-contínuo – e se não fosse a surpresa de algum desgoverno de engrenagem, estava solucionada a sede da imortalidade humana.

O frio, cada vez mais intenso, a admiração ilimitada por certas vitrinas, os exageros da respiração, provocados por estas largas avenidas, limpas e belas, consomem com voracidade o nosso chá das cinco horas. E às nove da noite já é possível pensar, realmente, em comer outra vez.

É preciso jantar em La Cabaña, dizem. E lá vamos.

O frio é muito maior. (Que monstruosidade iremos perpetrar lá dentro, ó deuses dos climas tórridos?!) O automóvel atravessa a névoa, como um avião. Luzes foscas pelas ruas. A cidade irreconhecível. Não há lã que vença este apenas princípio de inverno. Tem-se de abaixar a cabeça e virar lontra, raposa, chinchila, vicunha, pantera, urso – qualquer bicharoco peludo para afrontar os rigores da estação.

Consola-me desde já pensar em La Cabaña. Não sei por que, estou vendo uma fogueira acesa – pelo menos uma lareira – e um gaúcho tocando harmônica. Mas deixo uma larga margem para as minhas desilusões, porque já sei que distância vai sempre entre o que imagino e o que encontro.

Logo que entramos, sinto que foi muito bom ter deixado a margem habitual. Nem sombra de gaúcho com música. Mas há róseos quartos de boi, alinhados para deleite dos entendidos, e até uma vaca de pau, paramentada e postada à porta, com um grande ar de parentesco com o bezerro de ouro e o cavalo de Troia.

Aqui se vem comer aquela famosa *parrillada* com que me ameaçam desde Montevidéu.

A criatura senta-se à mesa, em estado de inocência, pedindo ao céu perdão pelo abuso a que vai expor a sua boca, tal qual numa antecipada extrema-unção.

Aproxima-se o moço do restaurante, com ar glorioso, e apresenta numa bandeja um peixe que Lúculo não viu, um peixe fardado de molho branco recamado de flores de tomate e pimentão, que parece um marajá deitado num tapete, fitando com olho grave o mundo ocidental.

Sem nenhuma apreensão a respeito do que o marajá observa, o moço corta-lhe o corpo em vastas fatias – tão vastas que eu não sei se depois de três golpes ainda sobra alguma coisa. E logo uma colher reluzente avança com ameixas recheadas, e vários indecifráveis mistérios culinários que um instantâneo não alcança.

A claridade do ambiente escorre com ternura pelos quartos de boi pendurados ao longo da parede. E a vaca de pau, com seu arnês de pano branco, continua a intrigar-me, de longe, e de costas.

O marajá, com seu uniforme florido e seu olho meditativo, vai desaparecendo deste mundo... Nem deixa vestígios, porque já lhe tinham retirado previamente as espinhas, ou teria nascido sem elas, para conforto dos senhores turistas... E com ele desaparece a louça, por encanto – ou talvez não tenha nunca existido senão pela força hipnótica do copeiro...

Recolhendo os olhos para perto, vê-se então que o moço vai servir o prato principal, a grande especialidade da casa: a *parrillada*.

Com um gesto de ritual, pousa no meio da mesa a grelha que mantém sobre brasas – para conservar ao mesmo tempo o calor e o sabor de tudo que aqui compõe esse prato nacional, e de que eu, miserável, ignorante vegetariana, só distingo umas chouriças, que conheço de nome, e variados pedaços de carne, naturalmente de diversas regiões do continente bovino, cuja ampla geografia conheço apenas de contorno, na luz imensa dos campos.

Tudo isto deve ser saboreado com técnica: há regiões macias e regiões adustas; regiões consistentes e deliquescentes; regiões misteriosas, descobertas por sibaritas, e regiões planturosas, que interessam aos mestres da gula. Assim, à distância necessária, posso admirar em redor de mim o prodígio gastronômico em pleno desenvolvimento.

Sobe da grelha uma fumacinha tênue, e ouve-se uma leve crepitação entre as brasas e as carnes. Como um sussurro de abelhas.

Descem de altas prateleiras vinhos da terra, e circulam entre os entendidos fervorosos, não sem algumas discussões a respeito da melhor maneira de combiná-los com este ou aquele prato.

Fala-se muito alto, e com entusiasmo. Todos os turistas comparecem. Há grandes aristocracias industriais: o rei das sementes de girassol e o da baunilha, o dos alfinetes sem cabeça e o do puxa-puxa, estão todos destroçando ali, a golpes de faca, morcelas roliças e postas de boi fumegantes – ao lado, naturalmente, de dançarinas com muitos dedos e muitas orelhas, para uma vazão rítmica dos diamantes e das pérolas que este mundo produz exclusivamente, como se sabe, para esse fim.

Não se pode dizer adeus a todo o mundo: falta mesmo ternura para tanto. Mas, aos quartos de boi desparelhados, expostos ali em sua natureza íntima, dizendo a quem os fita: "Aqui estamos: fomos assim: isto é o pasto verde, que comíamos sem saber para quê: isto é o azul do céu, que mirávamos sem razão nenhuma: isto é a água dos arroios em que nos espelhamos: isto é a vida que fomos – estes músculos, este sangue, esta gordura. Perdoai se não correspondemos às vossas aspirações..." – aos quartos de boi, temos de dizer um adeus enternecido, quase compungido, e entrelaçado num pedido de desculpas pela parte que nos toque nesta fatalidade carnívora...

Adeus também à vaca de pau – alguns dizem que é uma vaca verdadeira, mumificada para insígnia da casa. Dizer que estão nos seus olhos, todos os dias, os seus irmãos esquartejados! Será para que se consolem com uma esperança de imortalidade simbólica, ou para que ela recorde o triunfo estável do artifício sobre a carne perecível, o engenho do comércio explorando a natureza?

Antes do jantar, faz mal pensar nessas coisas, porque destroem o apetite; durante o jantar, faz mal pensar nessas coisas, porque estragam a companhia; depois do jantar, faz mal pensar nessas coisas, porque perturbam a digestão...

Rio de Janeiro, *A Manhã*, 25 de outubro de 1944

Terceiro instantâneo de Buenos Aires

A paisagem não distrai porque não existe. Numa grande, numa desesperada sede de natureza, sobe-se ao décimo nono andar de um edifício, onde, de um salão de chá todo envidraçado, se pode apreciar o pôr do sol misturando muita cinza de neblina fria a uns roxos eclesiásticos, por onde de repente se entremeiam adereços de turquesa, pálidos e efêmeros.

Faz muito frio para se sair de passeio em iate.

As árvores de Palermo são insuficientes para quem leva atrás de si as florestas do Brasil.

Assim, a cidade desaparece. Todas as modas podem ser vistas num dia, por mais que se acumulem peles, sedas, lãs, vidrilhos. E a abundância da cidade, atulhada de frutas em açúcar, de bolos, tortas, bombons, geleias, acaba produzindo um fastio tremendo.

Deseja-se paisagem humana. Mas, em algumas horas, pelos elevadores, pelos bondes, pelos automóveis, a pé, desfilam os tipos mais característicos. Talvez a objetiva não estivesse muito límpida: mas parece-me que se veem mais homens do que mulheres por toda parte; e, como faz frio, todos são terrivelmente idênticos – altos, fortes, pesados, com espessos sobretudos de lã, chapéus de feltro com a aba caída para os olhos, luvas de pele, *bufanda* cruzada sobre a gravata. Há um outro tipo, fino, de pele mate, e que veste de negro: como um desenho espanhol do romantismo.

Não, não é isto: quer-se a paisagem humana que está do outro lado dos sobretudos, dos chapéus e das luvas – essa coisa problemática e evidente a que alguns ainda insistem em dar o nome de alma. Tarefa difícil, sem dúvida, ambição desmedida, chegar-se de turista a um lugar, e ir-se à procura, justamente, dessa coisa tão frágil e misteriosa, que ora se acende e logo se esconde, como um inapreensível fogo-fátuo!

Anda-se, anda-se, anda-se, à procura de almas. E os homens são contraditórios, em toda parte. Desdizem-se a cada instante. Contrapõem-se. Mudam como as nuvens. Pensam de tantas maneiras! Opinam com tamanha volubilidade! Com uma superficialidade tão culpável e tão inocente!

Nos assuntos de pensamento, as efígies possuem uma faculdade surpreendente: seus perfis não concordam nunca. Os que estão de um lado veem todo o mal de cada coisa – como, os que estão do outro, todo o bem. Nem os intelectuais estão a salvo. Muitas paixões movem os homens e todas os conturbam – mesmo as mais nobres...

Livrarias de Buenos Aires: dizei-me, a quem devo ler? E as vitrinas levantam os braços: lede os argentinos, apenas, os argentinos da verdadeira *argentinidad.* (Minha cabeça ignorante inclina-se pesarosa.)

Respondo às vitrinas: "Compadecei-vos de mim, que venho de longe, com pouco tempo, e necessito almas, nada menos que almas...! Quero entender, – compreendeis? Mostrai-me por onde devo ir!" E as vitrinas levantam os braços: "Lede os premiados! Pois então para que existirão os prêmios?" (Torno a abaixar a cabeça. Ah, vitrinas, vitrinas, essas histórias de prêmios devem ser por toda parte mais ou menos a mesma coisa. Não me seduzem mais...)

E assim vou pelas calçadas, falando com as vitrinas. Umas me dizem que leia os espanhóis – que não há senão a Espanha, desde os clássicos até hoje. E, com seu dedo de Felipe II, me apontam capas de livros e nomes de autores. Outras me insinuam que despreze a Espanha com seus antigos e modernos, e leia a França e a Inglaterra, que essas são as letras verdadeiramente imortais. E procuram fascinar-me com delícias que já conheço. Umas me dizem secretamente que leia a América. Mas é muito em segredo – e quando as outras vitrinas desconfiam do que estão falando, ameaçam com suas mãos de vidro como lâminas cintilantes dispostas a combate feroz.

Sinto-me inteiramente abandonada. Se busco a *argentinidad* – um coro de risos. Se busco a *hispanidad*, um coro de desdéns. Se busco a *americanidad,* um coro de ameaças. Se busco... Ah, não é possível – não buscarei mais nada. Quero ir sozinha, ao acaso, entregue à sorte, conduzida pelo faro, pelo instinto, pela sensibilidade, pela fatalidade – mas por qualquer coisa que não dependa senão de mim.

Sempre há um caminho para os que partem com o coração isento.

Assesto a máquina na revista *Sur*, que é um padrão, em toda a América. Aí está do melhor que há na Argentina e no estrangeiro, – o que não quer dizer que, fora dela, não se encontrem também algumas coisas muitíssimo boas. Apenas, – e será pouco? – ela seleciona e congrega de tal modo que representa um critério literário de primeira ordem – e, ao lado disso, na ordem das ideias, um critério de orientação próprio, definido e valoroso.

Em redor da revista *Sur* gravitam os nomes mais brilhantes das letras argentinas, e os dos mais eminentes refugiados espanhóis, sem falar na colaboração do estrangeiro, profundamente significativa. Aí estão a poetisa Silvina Ocampo, o romancista Adolfo Bioy Casares; aí estão Jorge Luis Borges e José Bianco; aí estão Marta Brunet, Gil-Albert, Rosa Chacel, Lorenzo Varela... E, entre todos eles, Victoria Ocampo, diretora de revista.

Mas prefiro recordar Victoria Ocampo no parque da sua bela casa de San Isidro, pensando nas coisas graves deste mundo à sombra calma das grandes árvores – uma sombra calma que o mundo há tanto tempo já não tem.

Agora, estou vendo Rafael Alberti, que com García Lorca representou um momento divino da poesia espanhola moderna. O exílio transtorna, às vezes, até um poeta. Como numa crista de espuma, como num chão frágil de nuvem, Alberti está de asas abertas, em terra estranha. Mas *El adefesio* acaba de ser representado por Margarita Xirgu, e suas poesias de *Pleamar* estão cantando aqui música de búzios saudosos.

Avisto de repente Máximo José Kahn, que com Juan Gil-Albert acaba de publicar os *Poemas sagrados y profanos de Yehudá Haleví.*

Encontro-me com a face sorridente de Oliveira Girondo, que me diz sempre umas coisas inteligentes, maliciosas, de uma vivacidade, de uma graça inesquecíveis – e com a loura cabeça de Nora Lange, exuberante de sinceridade, de personalidade, e, como as abelhas, com uma ponta de espinho no seu mel...

E, nesta superposição de imagens, alcanço Margarita Xirgu em plena representação de *Doña Rosita la soltera*. Ali está Lorca em todo o seu encanto sentimental e irônico. Margarita Xirgu desliza entre as palavras afetadas do tratado botânico, meneando a sombrinha caprichosa muito fim de século. Aprimora-se no sentimentalismo da noiva abandonada. Anima-se com suas esperanças, que ao mesmo tempo está revelando saber como são falsas. Vai-se deixando abater pelo tempo, a ruína, a morte; – vai-se apagando, murchando como a rosa que a simboliza, e acabando como um fantasma afetuoso que arrasta sua sombra toda branca por uma casa deserta, a que o vento parte as vidraças, lamentosamente...

E, em redor da Xirgu, movem-se os seus artistas, tão admiráveis nas suas falas, nos seus silêncios, em cada gesto, em cada intenção, no menor movimento de suas roupagens como na menor expressão de seu tipo.

Durante todo o espetáculo, fica-se oscilando entre uma sensação de existência ridiculamente sentimental e dolorosamente humana, que é o próprio sentido da peça. Em todos os sofrimentos que ali resvalam há um rastro de comicidade – estamos rindo do que estamos chorando, e chorando do que estamos rindo.

E, por detrás da cena, há uma outra Xirgu, sem maquilagem, uma mulher tão diferente da que esteve vivendo em cena que se pode, por aí, avaliar todo o seu mérito de grande atriz. É a mulher que deseja trazer peças novas para o palco, e está sonhando, enamorada, com um teatro que Jules Supervielle neste momento escreve.

E aqui surge a figura de Supervielle, na capa deste formoso *Choix de poèmes* que Oliveira Girondo acaba de editar.

Jules Supervielle é uruguaio por casualidade, mas agora, depois de longas ausências pela Europa, está em sua terra, entre o afeto e a alegria da sua gente. Está também aqui em Buenos Aires – enfim, realiza essa coisa em que os poetas chegam às vezes a igualar-se aos deuses: está em toda parte onde se sabe amar a poesia.

Mas depois do teatro, o instantâneo se interrompe, com um nevoeiro frio, que obriga a chás, torradas quentes, copos de uísque, calefação...

Rio de Janeiro, *A Manhã*, 1º de novembro de 1944

Cheguei a Belo Horizonte

Cheguei a Belo Horizonte nas mais invejáveis condições para um poeta: dormindo em pé. Devidamente compreendido e sentido, dormir em pé é um estado quase divino. Aparenta-se com o sonho, a inspiração, a transfiguração, pois a criatura não é nem deixa de ser, vive a sua vida e uma porção de vidas adventícias, e chega a alcançar momentâneos prazeres de ubiquidade, podendo o seu corpo estar na avenida Afonso Pena e a sua cabeça na rua da Bahia, e os olhos dançando dentro dos sinos das igrejas, e o nariz perdido como um caracol entre as flores dos jardins.

Minha garganta estava ainda em Barbacena, quando os rapazes do hotel carregavam as valises para o elevador. E não sei como falei de tão longe ao pintor Guignard, que apareceu na minha frente, cavalgando uma nuvem com rédeas de fitas e guizos tocando azuis.

Passou uma dama fumando, e, como eu dormia em pé, disse lá do alto de mim mesma para os meus terrestres porões: "Deve ser a cobra fumante, de que falam os bravos expedicionários..." E o fumo do cigarro dela escravizava com muitos laços um milionário mineiro que a seguia como um hipopótamo domesticado.

Então, a camareira sorriu para mim, com uma cortesia sem ternura, e eu vi que ela usava uns longos bigodes retorcidos, e dos meus porões perguntei para os meus telhados se devia ter medo ou sossegar. Não obtive resposta: ela, porém, recuou, muito devagarzinho – foi sendo bebida por um longo corredor sem o menor ruído, um corredor com todas as lâmpadas apagadas, menos uma, fosca, amarelada, como um olho grande de peixe espiando pelo teto a vida íntima dos homens.

Nessa hora eu vi as nuvens. Umas eram enormes, de uniforme cinzento, e vigiavam os quatro pontos cardeais. Outras eram brancas, e via-se logo que eram meninas, pelo feitio dos vestidos e os laçarotes que levavam por todos os lados. Havia também os rapazes, desgrenhados, de braços compridos, com o pescoço esticado para a alameda azul onde passeavam as nuvens-meninas. E sentados nos bancos do céu estavam os velhos barbados, muito barbados, com ares de São José, e a roupa também barbada pelas beiras, de onde concluí que eram os pobres de Ozanam que estavam reunidos para homenagear Belo Horizonte lá de cima. Isto porque havia um jornal dançando na minha frente, e o jornal dizia "Amanhã é o dia dos mendigos. Todos vamos dar dinheiro para os pobres de Ozanam. Que falta lhes fazem, senhores, cinco ou dez cruzeiros? Pois todo esse dinheiro junto vai acabar com os mendigos de Ozanam." E eu pensava: "Na certa é a comissão de mendigos que está reunida no céu. Que outro lugar poderia servir de ponto de encontro para os mendigos?" E os velhos barbados desmanchavam-se, encostavam-se uns aos outros, parecia que cochichavam, – deviam estar preparando o discurso da festa, ou alguma rapsódia que iriam recitar, porque se via que eram da estirpe de Homero, solenes e naturais, ao mesmo tempo, e muito gastos pelos séculos, e com uma serenidade eterna.

Notei então que chegavam harpas voantes, com suas cordas feridas pelo vento, e ouvia-se um sussurro muito ameno, e as árvores, olhando para aquelas festas brancas, tão fluidas, tão altas, abraçavam-se ao longo da rua, com seus cabelos verdes muito frisados, extremamente abundantes, e de corte cúbico.

Sacudi também a minha cabeça, para despertar, – pois eu bem sabia que ainda estava dormindo – mas a cabeça que eu sacudia estava à janela, como um travesseiro ao sol – e a que tinha de ser acordada ainda estava no caminho, num pasto imenso, onde vi uma grande reunião preta e branca de vacas holandesas conversando assuntos particulares de leite, manteiga e queijo. De modo que não adiantou nada: os mendigos aéreos foram chegando, chegando, cada vez mais numerosos, mais barbados; as enfermeiras cinzentas conduziam aqueles bandos para as escadarias celestes, – e por fim eram tantos que suas barbas e seus andrajos obscureceram o sol. As nuvens-meninas se misturaram como netinhas, naquela aglomeração, e os rapazolas, de pescoço comprido e braços maiores que a roupa, se espicharam e se extinguiram como capas de guarda-chuva, peles de serpente, e desapareceram no céu repleto.

A cidade ficou toda escura, e eu disse para todos os meus lados sonolentos: "Anoiteceu! Os mendigos de Ozanam trouxeram a noite para os que têm sono dormirem... Louvados sejam os mendigos de Ozanam!"

Mas as árvores se assustaram, e apanharam no chão a sua sombra quadrada e fecharam logo todos os passarinhos nas suas paredes verdes, de dentro das quais se ouvia um tímido pipilar indagativo.

Aí os mendigos e as meninas e as enfermeiras – os rapazolas estavam mesmo acabados – deram as mãos e fizeram rodas, os músicos firmaram as suas harpas, e o sol veio dançar no meio deles. A cidade tornou a brilhar, as árvores suspiraram e deixaram cair a sombra no chão e sair os passarinhos dos ramos, e um sorriso bambo caiu no meu rosto como qualquer folha cai.

Passaram-se coisas, enquanto eu continuava nesse estado: chuvas vieram acordar-me, caminharam por mim óleos, perfumes, – coisas extremamente suaves para se continuar a dormir no meio delas. Estendi os braços de certo modo, e atravessei tal metamorfose que, apesar de dormir, vi pelo espelho que não era a mesma. E os fios do meu cabelo se foram colocando um ao lado do outro, certinhos como pestanas – e a setenta quilômetros de distância, os meus olhos, reclinados nas veludosas almofadas das montanhas, olhavam para a que se vestia em Belo Horizonte e preguiçosamente aprovavam as transformações por que ia passando.

E a voz de Henriqueta Lisboa entrava pelas paredes, e perguntava mansinha, com aquele seu jeito dolorido: "Como vai você?" E a minha voz em Barbacena sussurrava-me: "Diga que está muito bem." E eu dizia: "Vou bem, obrigada." E Henriqueta insistia: "Quando foi que você chegou?" E eu perguntava para mim, em Barbacena: "Quando foi mesmo que eu cheguei?" E de Barbacena me respondia: "Chegou agora, não está vendo?" E eu respondia a Henriqueta: "Cheguei agora..." E assim conversávamos lindamente, enquanto as paredes se entretinham em mudar de lugar dentro dos espelhos, e a cidade lá fora escurecia e clareava.

A porta impeliu-me para o corredor, e o corredor bebeu-me, como tinha feito com a camareira. E assim fui levada, absorvida como por um cilindro

Crônicas de viagem I ◆ 177

de vácuo, sem peso nem movimento, vendo apenas com uma certa angústia a lâmpada amarela, moribunda, na fileira das lâmpadas mortas, fitando com sua frieza imóvel, com seu olhar anormal de peixe perverso, o caminho obscuro dos humanos viajantes.

Ouvi um moço dizer: "Eu quero feijão". E o outro moço dizia: "Tem mocotó, tem consomê, tem porco assado, tem goiabada..." Todas essas palavras para mim não representavam nada, não correspondiam a imagem nenhuma exata dentro da minha cabeça. A minha cabeça não estava ali. Só os meus ouvidos. Mocotó tanto podia ser um arranha-céu como um general. Goiabada talvez fosse uma planície imensa, com um cercado de arame, longe, e um cavalo parado... Feijão era um rio muito largo, com cachoeiras, represas, uma solidão enorme, e umas árvores crescendo à toa...

O moço tornava a dizer: – mocotó, feijão, porco assado... Estava falando comigo! Comigo? Mas com quem? Com qual? Para que precisava eu daquelas coisas? Eu tenho tantas planícies, meu Deus, tantos rios, tantas árvores, uma porção de montanhas abraçadas, céus e céus com todas as pinturas, pedras, ervinhas, bichos mansos e selvagens... Eu não preciso de mocotó... Para quê goiabada?

E o moço insistindo. E as outras pessoas armadas de garfo e faca, muito sérias, em atento jogo nas suas mesas...

Vi que o moço estava ficando triste com a minha indiferença. Começou até a falar noutras coisas, desgostoso do meu desdém pelo seu mocotó. E dizia com suavidade, abanando um pano branco como se eu estivesse no alto de um navio: "Temos batatinhas com cenouras e temos omeletes de gastrônomo, temos..." Aí comecei a ficar com pena, mesmo dormindo, e com uma caridade sonâmbula falei-lhe, com a voz que ainda estava a uns quarenta quilômetros, que trouxesse batatinhas, cenouras e omeletes – e ele pareceu muito satisfeito, e botou na minha frente uma paisagem verde, amarela e branca, por onde fui pastando sem gosto, só por hábito, – e como me lembrava de ter visto fazer aos cavalinhos e aos bois, nos lugares belos do mundo.

E o companheiro perguntava: "Você já acordou?" E eu respondia: "Ainda não. E você?" E ouvia: "Eu estou sempre acordado. Só você é que vive sonhando de olhos abertos. Só você é que dorme em pé." E eu lhe perguntava muito de longe: "Mas você não está sentindo a sua cabeça em Juiz de Fora ou em Barbacena ou em Itabirito?" E ouvia: "Não. Só você é que deixa a cabeça de vez em quando fora do lugar." E eu tornava: "Mas a sua cabeça não está nem ali do outro lado da rua? Você não está sentindo que não tem pés? Não está com o braço despregado, os olhos caídos num vale, o coração assim esparramado pelas montanhas...?"

Então fomos andando, e eu tratava de chamar os meus pedaços separados. Mas quem diz que vinham? Tudo alado, galopando por amplidões verdes, por amplidões de cristal, por amplidões de nada...

Henriqueta Lisboa veio falar comigo, sem pousar, – com as asas abertas, – e eu pensava: "Henriqueta é uma libélula..." E falávamos muito, mas eu não entendia o que estava dizendo. Devia porém estar certo – pelo hábito de falar – porque ela não estranhou muito, não me achou completamente louca, nem deu demonstrações de ver – ou fui eu que não percebi – quanto eu estava fora de mim...

Veio também Lúcia Machado de Almeida. E essa veio completamente de sereia, com os olhos cheios d'água, e uma cauda verde que com a maior naturalidade se enroscou pelo tapete do hotel.

E os meus ouvidos se maravilhavam com o que elas diziam, embora eu tivesse de transmitir cada palavra para o sítio em que se encontrava a minha cabeça, e de lá receber a explicação do que estava sendo dito.

E como estavam animadas! Como falavam de seus companheiros de trabalho! Das crianças de Belo Horizonte! Da exposição que se inaugurava aquela noite mesma (aquela noite mesma!) e em que eu devia falar! E como descreviam os desenhos dos meninos! E como estavam interessadas nos livros infantis!

Eu pensava, sentindo as asas transparentes de Henriqueta: "Como será que ela pode ficar tanto tempo parada?!" E contemplando as cintilantes escamas de Lúcia, dizia comigo: "Não lhe acontecerá nada, ficando assim algum tempo fora d'água?"

E Lúcia toda verde meneava seus braços líquidos, e Henriqueta fazia tremer o íris de suas asas, e ambas sorriam de um modo sobre-humano, e me diziam: "Você vai falar esta noite. Há muitos desenhos, muitos livros, – e vêm as autoridades..." (As Autoridades!)

E Henriqueta e Lúcia desapareciam, líquidas e aéreas, sorrindo, como se fossem desenhos de Guignard no céu de Belo Horizonte. Só ficavam estas letras: "As Autoridades".

Pensei: as Autoridades vão ver que a minha cabeça não veio. Que eu sou só um pedaço de mim mesma, que me atrasei no caminho, mirando os rios e as árvores e as montanhas, que eu não sou eu, enfim – e isso é uma coisa grave.

E concentrei-me numa súplica aos meus olhos, à minha face, às minhas mãos. Afinal de contas, o Mário de Andrade não disse já: "Mas a Autoridade é a Autoridade...”? E a minha cabeça, de longe, de longe, dizia: "Os tempos estão mudados. Os prefeitos são outros... Você está muito bem assim. Não é falta de respeito nem nada. É sonho, meu bem. Continue sonhando! Você será mais feliz, todos serão mais felizes, enquanto você sonhar..."

Então, desdobrei os meus papéis. Por um acordo secreto entre os meus olhos e a minha boca, li até o fim. Eu mesma não entendo como. E agora creio que sou capaz de ficar toda a vida desse jeito... E é capaz de dar certo... Voarei por cima do mundo, livre do peso humano, que sempre aflige. Não ficarei cativa de nenhum vestígio, porque me esquecerei mais depressa de mim.

Rio de Janeiro, *A Manhã*, 30 de novembro de 1944

Ilustração de Juiz de Fora

Ai do turista que entra de olhos arregalados por uma cidade brasileira e estende as mãos folclóricas para objetos imaginários com que tenha sonhado a sua inocência! Pelas estradas de ferro não há vozes apregoando pães, roscas, bolos, doces, biscoitos, – nenhuma especialidade da terra. Pelas estações não aparece ninguém com bordados nem rendas nem cestas nem chapéus nem bonecas – qualquer coisa que se possa levar dali com saudade, para recordar mais tarde: "Uma vez, estando eu em..." Nada.

Avistam-se panoramas extraordinários, alcançam-se lugares interessantíssimos – há monumentos, igrejas, museus, – mas a prenda que o turista deseja passou há muito tempo, e sem bilhete de volta. O recurso é ainda armar a máquina fotográfica e gravar-lhe na retina, mais fiel que a humana, o que por acaso surpreendeu ou encantou.

Louvada seja, pois, a cidade de Juiz de Fora, pelos seus cartões-postais com fitas, cromos, janelinhas que abrem e fecham, e frases inesquecíveis, polvilhadas de purpurina de todas as cores, e corações de cetim que quase palpitam, e flores estufadas que são poltronas para os nossos pensamentos fatigados!

*

Em Barbacena, conversei com o moço da papelaria sobre esses cartões cintilantes e sentimentais. Ele me disse: "Agradam muito..." – fez uma pausa, vagaroso, amarrando o barbante, e acrescentou: "... por causa do palavreado..." Entregando-me o troco, ainda esclareceu: "As mocinhas da fábrica apreciam muito... São elas que compram...

> Se for a Juiz de Fora,
> me traga um cartão-postal,
> para mandar a meu noivo,
> que é fuzileiro naval...

"Mas onde a senhora vai encontrar variedade é em Juiz de Fora... São feitos lá..."

Em Juiz de Fora foi um torneio com a jovem da papelaria. Naturalmente, eu desejava não apenas comprar muitos postais, mas sentir a emoção da vendedora passando para as minhas mãos anjinhos pensativos, com asas prateadas e nuvens resplandecentes; borboletas beijando flores, numa aérea valsa; corações de seda atravessados por setas e gotejando violáceas purpurinas; delicadas mãos oferecendo ramos de rosas todas orvalhadas de ouro e prata... E eu comprando, muito séria, flores, corações, setas, borboletas, – a ingenuidade, o sonho, a ternura que o povo ainda cultiva – "A ti, o meu amor" – "Assim unidos seremos felizes" – "Sem ti não vivo" – "Amar-te é o meu destino" – "Deus no céu, e você na terra" – "Chorar é meu viver" – e a mocinha dizendo-me desdenhosa: "Isso é só assim para... certa gente..." (Isso para mostrar que bem sabia que eu me estava divertindo com a compra...) (Mas eu não me estava divertindo nada, como pensava a mocinha. Eu estava mais séria do que nunca. Eu estava diante da poesia do povo. Do resto de poesia que ainda se pode conseguir numa viagem pelo interior...)

> Ponha uma palavra de ouro
> com uma vírgula de prata.
> A esperança me dá vida,
> mas a saudade me mata.

Depois, mudou um pouco. Familiarizou-se com o meu interesse. Com a minha seriedade. Arriscou-se a confessar-me: "Eu também, de vez em quando, – por brincadeira (tornou a esclarecer) – mando um postal desses. São muito engraçados..." Oh desconfiança mineira! Eu ali abrindo o meu coração de verdade, francamente, querendo trazer comigo anjinhos, borboletas, estrelas, casas de cetim azul com fumacinha de diamantes: "Assim será o nosso lar" – e a mocinha negando-se a confessar suas fraquezas, recusando-se a gostar de coisa tão linda, tão verdadeira, que, por mais séculos de cultura que nos caiam nos ombros, nem esmorece, nem se acaba, nem se torna ininteligível!

Bem: a mocinha é um cofre como os dos tempos da mineração: inútil sugerir-lhe que suspire, que seja suave, que se entregue a essa doçura do enter-necimento.

> Meu amor anda depressa
> com teu navio no mar:
> a água corre dos meus olhos
> para o teu navio andar.

Ou então, esta mocinha é de pau, de arame, de estopa, de areia: não chora, não canta, não sonha, não passa noites sem dormir, não gosta de circo, nem de música de coreto, nem de rancho de carnaval, nem de presépios, nem de sinos – enfim, folcloricamente, é uma desgraça, uma infelicidade, e não vai cantar para os seus filhos, nem brincar de roda, nem ensinar-lhes adivinhações, nem entender jamais, jamais – oh inconsolável melancolia! – o que eles fazem neste mundo, nem o que ela faz neste mundo, nem o que os outros fazem neste mundo, nem o que este mundo faz sozinho, girando, girando, suspenso como um balão de seda entre essa purpurina de astros do grande cartão-postal da eternidade.

*

Adeus, mocinha, tenho muita pena de você, e vou conversar com o dono do bazar, que talvez seja mais consolador, na sua paisagem de cavalinhos de madeira, petecas de muitas cores, automóveis, bonecas, licoreiros e ferros de engomar.

> Coitadinho de quem pensa
> no seu amor que anda longe!
> Vai voando, vai voando,
> quer pousar e não sabe onde.

O dono do bazar ou seria mais sentimental ou teria muito mais lábia de vendedor, porque tratava com alguma ternura – vamos e venhamos, uma ternura de comerciante – os meus faiscantes e comoventes cartões-postais.

Quando lhe falei nas frases, no "palavreado", como dizia o moço de Barbacena, ponderou: "São feitos por uma moça, que vaza nestas palavras tudo o que sente!" (Não é bonito?)

Atrevi-me a perguntar-lhe: "Ama-se muito aqui?" Fez um gesto definitivo, e confessou-me: "É uma coisa horrorosa!" (Horrorosa, disse.)

E pensei na moça que naquele momento devia estar entre montanhas de cartolina, de fitinhas azuis e cor-de-rosa, de potes de cola e de purpurina de todas as cores, traçando em linhas curvas, em diagonais, em linhas sinuosas, em linhas sensíveis ao seu mais leve impulso emocional, aqueles caminhos de letras semelhantes a constelações: "Juro ser sempre tua"; "Quando me farás feliz?"; "Assim voam os nossos corações"...

> Se for a Juiz de Fora,
> me traga um cartão-postal,
> para mandar a meu noivo,
> que é fuzileiro naval.

O dono do bazar continua a informar-me. "Há uns cinco anos que essa moça se ocupa dos seus cartões". "E tem muita saída?" "Ah, muita, – todos aqui compram... E vão para outros lugares..." (Se eu insistisse um pouco, é possível que me dissesse que já se exportavam...) Fiquei satisfeita. Mas ainda me informou: "É uma moça de uns trinta e cinco anos, branca... solteira..." Devia ter perguntado se era bonita ou feia, amada ou desamada. Devia. (Devia?)

> Borboleta, borboleta,
> vai ver o meu bem distante,
> com tuas asas de seda
> orvalhadas de diamante.

De modo que as ruas de Juiz de Fora, com seu tráfego intenso de cidadezinha industrial; suas casas um pouco desarrumadas; seu jeito de pressa, de valise de caixeiro-viajante; seu hotel com queijo e goiabada; suas lojas de ferragens, com panelas de pedra-sabão; seus trilhos que sempre me parecem fora do lugar; seu tinir de xícaras de café; e tantas coisas misturadas, que eu achava um pouco agressivas, sem ritmo, sem desejo de conjunto, – ficaram de súbito claras e harmoniosas com os postais recamados de flores, anjos, passarinhos, corações feridos.

*

Comecei a ver, por todos os cantos, recados sentimentais, em prosa e verso. Mais do que a fantasmagoria dos anúncios americanos, – esses arlequins de luz que pulam pelos arranha-céus para dizerem lá em cima o que se deve beber para refrescar, ou com que se deve combater uma infecção, – os meus postais, alados e floridos, deixavam suas inscrições suaves pelas pedras das esquinas, pelas fachadas das casas, pelas tabuletas dos bondes, bordavam as cortinas dos lares, corriam pelas toalhas das mesas, luziam nas costas das pessoas graves, vestidas de ternos escuros, e estremeciam no peito cândido das meninas que passavam com livros no braço.

Por toda parte se via a cidade suspirar: "Não te esquecerei jamais"; "O nosso amor é sem fim"; "Sem ti, como poderia viver?"; "Meu coração te idolatra"; "Teu desprezo é que me faz chorar"...

Uma inscrição maior se alongava pelo céu: "Aqui se ama de uma maneira horrorosa"... – era a mão do dono do bazar que ia pousando estrelas de purpurina sobre essas letras infinitas.

> Tenho gravado no peito
> um cravo de amor fatal...
> Adeusinho, Juiz de Fora,
> Deus te conserve esse mal.

Rio de Janeiro, *A Manhã*, 6 de dezembro de 1944

Instantâneo de Pampulha

Creio que nenhum forasteiro pode passar por Belo Horizonte sem visitar Pampulha. Mas Pampulha não é apenas, como se pensa em geral daqui, – por vaga informação – um cassino erguido num promontório, onde se come sem grande apetite peru com ameixas, enquanto umas pobres moças dançam como odaliscas, sem nenhuma vocação, e outras cantam em mau inglês, e com inocentes tentativas de *sex appeal*, fatigantes canções americanas.

É verdade que eu não sou entendida em cassinos. Falta-me experiência, o que é sempre importante. Mas a ideia do *show*, – por dois ou três a que assisti em toda a minha vida, – causa-me dilacerante angústia. A arte verdadeira é um recolhimento. E arte que não seja verdadeira é abominação. Estar uma pessoa comendo e olhando para alguém que canta ou dança (e que cantos! e que danças!) afigurasse-me monstruosidade. Porque se acaso a dança, ou a canção, pudesse valer a pena, o comensal devia parar de comer e conversar, para prestar-lhe atenção. E se nem uma nem outra vale o respeito do comensal, que espécie de labirinto é esse em que todos ficam metidos? Parece aquela história de loucos:"Deixe-me sacudir na sua cabine este pó que mata elefantes brancos. – Mas aqui não há elefantes brancos! – Não faz mal, porque também este pó não é o verdadeiro..." (E como a explicação já está ficando muito complicada, peço ao leitor que tenha a bondade de dispensar-me a continuação, conservando apenas na lembrança a minha falta de interesse pelos cassinos, a minha piedade pelas dançarinas esqueléticas deslizando entre pratos mais ou menos suculentos, a minha repugnância congênita pelas anedotas ambíguas, a minha incapacidade de vibrar diante das cantigas americanas, a minha negação pelo prazer truculento dos microfones e o meu pavor pelos vestidos de vidrilho.)

Ora, o parágrafo anterior, que não tem nenhuma finalidade moralizante, que é simplesmente de inspiração estética, e não pretende atentar contra a liberdade de ninguém nem o gosto particular de cada um – serve apenas para explicar a minha surpresa e o meu agrado de que Pampulha não seja apenas um cassino, como, mal informada, supunha.

Em primeiro lugar, Pampulha é um bairro, que certamente será delicioso. A invenção do lago que artificialmente engastaram nesse cenário tranquilo satisfaz a saudade das águas, a quem alcança a cidade montanhosa, onde as nuvens repetem lições infatigáveis de orografia. Tanta dureza mineral contemplada na longa viagem é compensada ali pela brandura das ondas, pela sua transparência, pela sua doce flexibilidade, jovem e serena. Ali se esquecem a pedra e o metal, naquela fluidez translúcida só comparável à do próprio céu na sua constante metamorfose.

O Iate Clube, embarcação ancorada naquelas águas mansas, não esquece a experiência náutica, escola de simplicidade: sua graça é pura, despojada, uma graça de abstenção – nas linhas, nas cores, nos adornos. Parece flutuar brandamente, num equilíbrio azul entre as águas e as nuvens. Seus azulejos nos esperam com recordações familiares, seus vidros lisos restituem ao tempo presente leve penumbra da composição interior, nos agasalha do dia excessivo, nos envolve num repouso amável depois das aventuras do ar livre, com sol ardente e lago reverberante.

Depois, a igrejinha, quase concluída: e feita com tal sabedoria que, segundo me contaram e repetiram infatigavelmente, dela não se avista o cassino, embora do cassino ela seja avistada. Esse prodígio de ótica me deixa perplexa, como todas as coisas sobrenaturais. Aí se sente a plenitude do milagre: o infiel, com os bolsos cheios de fichas sinistras e os olhos repletos das visões mais ou menos macabras do *show*, dá de cara, de repente, com o santuário distante, e poderá ser assaltado por vivos remorsos, ainda que momentâneos, e atravessar aquela distância, humilhado e arrependido, e ajoelhar-se diante dos santos de

Crônicas de viagem I ✦ 187

Portinari abandonando logo ali, para os pobres e enfermos, os milhões terríveis que incham a sua carteira pançuda. Mas os de alma pura e coração reto que frequentam o santo refúgio não avistarão jamais esse ninho de abominações, onde as roletas giram como a hélice dos aviões de Satã e as dançarinas e cantoras – coitadinhas! – se estorcem como os condenados nas chamas do Inferno – o que de certo modo não deixa de ser edificante.

Está claro que o artifício de que o cassino aviste a igreja mas a igreja não o aviste me parece muito engenhoso. Mas, como estou cheia de ignorância, fico pensando que devia haver reciprocidade, porque, para haver vitória sobre a tentação é necessário, primeiro, haver tentação. Eu quereria que as criaturas piedosas vissem de longe, e até de mais perto, a roleta, as moças que cantam com vozes de aspirador:

> ... *I want to buy a new car,*
> *champagne, caviar,*
> *Daddy, Daddy,*
> *you want to get the best for me,*
> *Daddy...*

– e quereria que as santas criaturas ouvissem tudo isso sem pestanejar, inacessíveis, no seu dever piedoso, surdas a essas sugestões, que são já sem graça nem prestígio, – ou pelo menos deviam ser, – num tempo em que tantas coisas graves, mesmo profanas, solicitam o nosso interesse e o nosso devotamento.

Mas a igrejinha – seja como for – é um lindo sonho. Naturalmente, há os que preferem adorar a Deus apenas no seu coração; há os que preferem venerá-lo em lugares humildes; e há os que se sentem felizes rodeando seu amor de todos os requintes do luxo, como oferenda, como demonstração de ternura, de respeito, de sacrifício. E todas essas maneiras me parecem muito respeitáveis. São pontos de vista. Há uma fidelidade ríspida, exata, severa, – e uma fidelidade terna, humilde, sentimental, – e uma fidelidade voluptuosa, abundante, apaixonada. Só Deus saberá qual delas aprecia mais. E Deus é secreto; perturbadoramente vário e único.

Parece-me que a igrejinha de Pampulha procura justamente atender a tudo quanto cada um prefere oferecer a Deus. Como é pequena, de uma grande sobriedade de forma, tem a rusticidade de uma cabana erigida pelo sonho penitente de um eremita, que ali esperasse a vinda de peregrinos cobertos de miséria e fé.

Mas essa rusticidade é apenas aparente: como nos vitrais da Idade Média, esplende aqui a decoração religiosa dos azulejos de Portinari, com um São Francisco que conserva o sabor pueril, inocente e na verdade adorável de algumas imagens de Chartres e de Bourges, – o que assenta maravilhosamente ao santo-poeta irmão das águas, dos peixes e dos pássaros.

Também a respeito da representação dos santos concorrem três maneiras distintas: os santos bonitos, que estão de acordo com a intenção de embelezar tudo quanto é divino ou religioso; os santos mais realistas, que procuram exprimir uma verdade histórica; e os santos expressivos, que em geral têm a cabeça de banda, os olhos tortos, as mãos fora do lugar, enfim, uma infelicidade física muito grande, comparados com os de barba frisada, cabelos em caracóis, finas mãos cor-de-rosa. Mas ai de nós! – uma é a boniteza convencional, de atração física, humana, que fala aos sentidos; e aquela suposta fealdade é uma beleza expressiva que desinteressa os olhos pelo mavioso ritmo do corpo, que os atrai para a mirada sobrenatural, para o impulso interior do espírito... (Isto, leitor, eu te digo como em confissão. Porque soube que já se queixaram do São Francisco de Portinari, e eu nele não vejo defeito, senão primores, e até me sinto, ao escrever, com umas voltinhas de estilo que me fazem parecer um frade velho e tranquilo, não desejando mais que um entendimento final e estável entre os homens de boa vontade. Pelo menos entre esses.)

Mas voltando à igrejinha: ela por fora tem esse ar de cabana de eremita, e o seu campanário só tem duas paredes, como dois braços que estivessem levantados para o céu, rogando a Deus comparecer entre os homens, porque não se pode mais, porque ninguém se entende, porque há uma vaidade, uma ambição, uma hipocrisia que só mesmo Deus chegando poderia corrigir com látegos de fogo – pois a ternura não tem mais força contra tanta iniquidade.

Quando, porém, se entra nessa igrejinha tão recatada, sem janelas, só com uma luz celeste que desce por um jogo de encaixes do telhado, vê-se que ela procura reunir, à comovente simplicidade exterior, aquela riqueza que tornou as catedrais antigas monumentos de esplêndida arte religiosa. Assim, suas modestas paredes serão revestidas de pau-cetim e bronze, o retábulo pintado por Portinari, e outras belezas aparecerão que tornem a choupana um escrínio delicado, como um relicário de se trazer pendurado ao pescoço em cordão de ouro.

Por outro lado, a igrejinha é uma mistura de lembranças antigas e atualidade bem nítidas. Ao lado do azulejo pintado com ternura medieval, a estrutura de cimento armado projeta sua torre, sua marquise, sua escada aérea, que nem

Crônicas de viagem I ✦ 189

a de Jacó; e pela carapaça dessa espécie de tenda, [palavra incompleta] felizes, corre um arabesco abstrato que não se sabe se nasceu de uma nuvem esgarçada ou da serpente do Paraíso, vestida de noiva e rastejando pelo mosaico celeste suas flores de laranjeira e seus véus brancos e submissos.

Esse é um dos lados de Pampulha: o lado sagrado. O lado diabólico é o cassino, naturalmente. E o lado humano, além daquele Iate Clube, tão sereno e balouçante, – nave em sossego entre as águas, cheia de sugestões de viagens em todos os sentidos, – é uma Casa de Baile feita para regozijo do povo, com a arquitetura simplificada e a decoração interior sóbria e de bom gosto que concorda com a das outras construções.

De modo que se volta de Pampulha com muito encantamento. Sonha-se o bairro todo construído, com residências simples e confortáveis, entre esses jardins ásperos e graciosos que Burle Marx imagina, com umas flores pelas pedras, – imagens de esforço que condizem com estas primaveras amargas. Umas flores que não se colhem, que não perfumam, que não são nascidas para enfeitar o homem, mas para adverti-lo, com seu exemplo difícil e brilhante em cima do duro bloco estéril. Flores, enfim, de solidão, isentas de vaidade, que vão morrer ali sozinhas, debaixo de um céu tão móvel que não tem tempo de vê-las, sob um sol que castiga suas cores e suas sedas, e sem outra notícia de sua existência que a de algum contemplativo que preste atenção a seu símbolo.

Quem vai a Pampulha sem ideias preconcebidas aprende muita coisa. Muita, muita. Aliás, um poeta persa já disse que, para quem sabe ler, em cada folhinha de erva está escrita a história do mundo e a do transmundo.

Rio de Janeiro, *A Manhã*, 20 de dezembro de 1944

A longa viagem de volta

Todos os meios eram piores: de avião, provavelmente cairíamos; de ônibus, ficaríamos todos desarticulados; de trem, morreríamos de fome e tédio; e automóvel era impossível conseguir-se – pois, embora muitos não o vejam, nós somos um país em guerra.

O saudoso trenzinho internacional, lotado já para dois meses. Prioridades aéreas. Navegação ameaçada.

Só por gentilezas oficiais ainda se consegue uma cabine no trem comum. E vêm à tona todas as nossas superstições: pois os grandes desastres não trazem sempre revelações de trocas de passagens, de embarques à última hora, como se a morte fosse uma entrevista exigente, e o destino um serviçal pressuroso, que facilita todas essas indispensáveis casualidades?

Quando ponho o pé no estribo – ai de mim! – tenho de tornar a descer, porque uma passageira, dessas senhoras precavidas, que sempre vão investigar o interior dos veículos em que viajam, e depois voltam para informar o público, já tinha ido, e agora vinha, e anunciava para a estação: "Isto é o Expresso do Oriente" – o que, como se imagina, me causou profunda alegria, e me animou um pouco, debaixo do nevoeiro matinal.

Torno a botar o pé no estribo, e desta vez consigo subir. Depois, como sempre: esbarra-se com um cavalheiro que fuma com prazer charutos muito ruins; com umas senhoras que, de súbito, querem todas passar ao mesmo tempo, e de frente, por um corredor em que só cabem de lado; com alguma boa velhota que levanta e abaixa a cabeça para nos ver pelas lentes bifocais, e sempre pensa que nos conhece de um lugar por onde nunca andamos – e afinal acerta-se com a cabine, e mergulha-se numa crise melancólica de claustrofobia. É quando se compreende o que deve ser um canário numa gaiola, ou um corcel do pampa numa cavalariça.

Da última cabine do vagão, que é também a última do trem, sai uma tosse convulsa, rodeada de conversas farmacêuticas. Quando a tosse para, uma voz muito cansada de moça triste diz assim: "Eu sei que estou tuberculosa, eu sei..." Mas as conversas retomam seu ritmo de coro animador, e descrevem bronquites e coqueluches, exaltam o peitoral de angico, e, com alguma prudência, chegam a tratar de injeções hipodérmicas. A tosse volta logo, aumenta, sacode tudo. Como *Mme.* Sevigné por sua filha, já me dói o peito, de tanto ouvir tossir a vizinha. E como infelizmente isso não adianta nada, ponho-me a pensar em três dias inteiros deste sofrimento feroz e sem finalidade.

Há reuniões científicas, nessa cabine final: não sei se são médicos ou propagandistas de remédios, mas chegaram vozes grossas, acompanhadas de saca-rolhas, e o coro feminino se aquieta, porque todos esperam agora o acontecimento mágico ainda preso no frasco de xarope.

É justamente nesse instante que uma outra voz começa a badalar pelo corredor que o primeiro almoço vai ser servido. O almoço das dez e meia. O melhor de todos, conforme nos avisaram. Porque o segundo é feito das sobras deste, e o terceiro se reduz às bergamotas que ninguém comeu.

Atravessam-se uns cinco vagões, com muita técnica acrobática. A ferragem se desconjunta, à nossa vista, entre um carro e outro: ganchos, correntes, parafusos, encaixes, engrenagens, tudo se desengonça, apressadamente; e as portas empurram-nos, violentas, para esses vorazes mecanismos atordoantes. Vai-se de encontro a vidros, a metais, a madeiras, tropeça-se em malas, arremete-se pelas cabines abertas, esbarra-se outras vezes com charutos e óculos, e alcança-se o restaurante, com algumas equimoses em plena formação, pelo corpo todo.

Pelo caminho ficaram mães amamentando crianças; crianças bravias chorando; mocinhas enjoadas, de bruços pelos bancos, cobertas com seus capotes; jovens enjoados também, caídos como desmaiados, com o chapéu nos olhos; velhinhos transparentes, muito enfermos, muito leves; senhoras tradicionalistas, que com a água de uma garrafa térmica vão enchendo a cuia do mate, num ar demonstrativo de propaganda de saúde e folclore; famílias que desembrulham de muitos jornais pedaços de carne, pedaços de pão, farofa – e vão enchendo de farofa e de jornais e de pão e de gordura os bancos, os vagões, a paisagem, o universo; e, enfim, esses senhores tranquilos, calados, que fumam cachimbo mesmo quando os trens saem dos trilhos, as pontes desabam e o anjo da morte chega e então lhes declara que agora talvez seja melhor deixarem de fumar, um momentinho.

O copeiro, sem aquelas divinas claridades que seriam tão decorativas numa crônica em que se deseja falar de aventais e guardanapos, pisca um olho sapientíssimo, parecido com o da fábrica de fósforos Fiat Lux e confessa-nos que para algumas pessoas o almoço é especial.

Ao contrário do que ele pensa, ficamos muito sentidos. E estou a ponto de censurá-lo, dizendo-lhe que todos os almoços devem ser especiais. Mas não se pode complicar a cabeça de um copeiro. E começam a chegar as especialidades.

Salada de batatas antigas com carne de porco. (Não, isto não é possível.) Sopa de farinha de trigo muito espessa, e com bastante pimenta. (Que faremos com isto? Quem quer forrar paredes, colar balões de São João, calafetar caixas d'água?) Galinha com *petits-pois* e talharim. Essa era a maior especialidade. Via-se, não pelo prato, mas pela cara do copeiro. E outra vez carne, com arroz. E pudim de laranja, tão amarelo que até parece artificial.

Temos um vizinho que deve sofrer dos rins. Quem não fica sofrendo dos rins só de contemplar este almoço?

Então, pedimos umas maçãs, que trazem um gosto de subterrâneo, como se viessem diretamente do sarcófago de um faraó, – e uma água mineral, que começa a sussurrar no copo de beira lascada, enquanto cafés inacreditáveis circulam, deslizantes, funambulescos, em saltos mortais por cima das nossas pálidas e resignadas existências.

A cabine tem ao menos a misericórdia da janela, por onde passam os campos de arroz sobrevoados de garças. Os bois, de cabeça baixa, puxam os carros, como nós, as recordações. Cavalos felizes sacodem a cauda e os banhados refletem esses cometas alegres e às vezes vêm mirar os olhos na água. As crianças dizem adeus. Adeus! Por detrás das cercas de ripas, os pessegueiros seguram suas nuvens cor-de-rosa.

Depois, horizontes de montanhas azuis. Pontes. Um rio. Cavalos brancos. Meninas despreocupadas, jogando bola. Um braço de mulher levantando a cortina da janela para ver passar o trem. Hortas prósperas. Laranjeiras.

Mas a vizinha não para de tossir. Creio que o milagre do frasco não se operou. E entardece. E não há senão aquela tosse, dentro do trem.

Fora do trem, lenha amontoada, garotos vendendo bergamotas, uma chaminé fumegando, cordas de roupa ao vento, galinhas pelas portas das casas. Uma velhinha de meias encarnadas.

Ali, o arroio do Só. Que lugar para se viver! Até penso na Padaria da Tristeza, que me mostraram em Porto Alegre, e onde imagino todo o mundo chorando muito e comendo biscoitos amassados com lágrimas.

Bois, cavalos, porcos pretos...

Mas a moça tosse. A moça vai tossir toda a viagem.

E como não há esperança de nenhuma refeição, de nenhum outro lugar onde se possa fazer nada, fica-se na cabine, esperando que pela janela passem três dias, em luz e sombra, em árvores e arroios, em animais, em carros, campos e casas.

Vem a névoa da tarde, vem a escuridão da noite. O frio aumenta. Enchem-se as camas de ponchos, porque os cobertores são umas talagarças inteiramente desprovidas de noções de inverno. Come-se um biscoito de mel e uma bergamota. Pensa-se que dormir é bom. Mas a moça tosse. E da cabine ao lado começa a vir uma conversinha de insônia. – "A senhora vai para São Paulo?" – "Vou, sim. Vou me operar." – "Ah! a senhora está doente, não é?" – "É. Eu estou doente." A conversa prossegue da cama para o beliche, em tom de velório. "Deus é muito grande – diz uma das velhotas. Deus fez tudo muito bem-feito. Deus faz todo o mundo morrer. Faz todo o mundo sofrer. Deus sabe o que faz." Uma risadinha sinistra. Penso comigo: "É Satã que está viajando ao lado." Porque não é possível ouvir-se maior injúria a Deus. Que sadismo!

Há frestas nas paredes das cabines, por onde passa o vento gelado da noite, com essas palavras heréticas. E receio que passe o próprio Satã que vai falando, e se sente na minha mala, e puxe conversa comigo. Assim se dorme.

Alta noite, os pobres ferroviários, transidos de frio, vêm examinar as rodas dos carros. Batem com uma barra de ferro: pen, pen, pen... Conversam com um vozeirão grosso, como lobos na escuridão. Pousam as lanternas, esfregam as mãos, apertam os capotes. E o trem continua.

Sabe-se da madrugada pelo canto dos galos e o ladrar dos cães. Na névoa fria, os pés das crianças brilham cor-de-rosa entre madeiras úmidas.

Pouco a pouco vão aparecendo animais, casebres, matas, hortas, muita lenha amontoada.

Como é domingo, mocinhas de azul e vermelho sobem-se aos montes de lenha para ver o trem passar. Vão atrás delas os irmãozinhos pequenos, de calcinhas com suspensórios e cabelos cor de prata, que o vento mais leve desmancha.

E a moça tosse. Tosse e geme. "Ai, eu sei que estou tuberculosa!" De noite, ela suspira isso mesmo, e sua voz vem toda abafada em cobertores, xales de crochê, ponchos, casacos de gola para cima. O coro em redor dela vai dizendo: "Deixa disso, deixa disso..."

E nós comemos biscoitos de mel com bergamotas, que são as tangerinas com o nome do sul. E deixamos passar todo o estado de Santa Catarina, todo o estado do Paraná, uma porção de São Paulo, sempre na mesma posição, como se na verdade o trem não se movesse, mas sim a paisagem, com suas crianças louras, seus campos secos, e algum galope de ágeis cavalos violentos.

De dia as velhotas bocejam com muita volúpia, uma volúpia fúnebre, como se estivessem esticando a vida, para rebentá-la o mais depressa possível. Depois, reconsideram o almoço. – "É muito fina, a comida..." – "Muito. Muito boa..." E há um grande silêncio de absoluta satisfação visceral. Tudo está bem. Deus dá bastantes doenças, Deus mata todos e no trem come-se carne de porco duas vezes ao dia. O mundo não podia ser mais bem-feito.

Apenas, do outro lado da cabine, elas não sabem que Deus é muito diferente, embora haja cãibras de estômago, todas as noites, de tanta penitência de biscoitos de mel e bergamotas...

Rio de Janeiro, *A Manhã*, 24 de janeiro de 1945

Precursoras brasileiras

Um dia, em Washington, veio entrevistar-me uma jovem jornalista, disciplinada pelos quatro W da sua profissão (*who, what, where, when*) e interessada, sobretudo, em avistar-se como uma representante do seu sexo, naquele país onde nós, mulheres, gozamos de prestígio e consideração.

A jovem colega ia metodicamente atacando o seu questionário; e a certa altura se deteve, quando lhe falei numa biblioteca infantil que foi a primeira a existir, dentro dos seus moldes, no Brasil. (A história seria longa de contar, embora servisse para ensinamento de muitos, espanto de vários e divertimento de todos.) – A primeira! – exclamou a jovem jornalista. E logo me pediu mais uma coisa que fosse também "a primeira", ou em que alguém fosse o primeiro. Não teria sido eu a primeira poetisa, ou a primeira jornalista, uma primeira qualquer, em qualquer coisa? Não, não tinha sido... E nunca mais me esqueci do interesse daquela jovem por essa condição de pioneira, que parecia significar tanto, aos seus olhos.

Na verdade, a princípio, achei o seu interesse extremamente juvenil. Aos vinte anos tem-se um entusiasmo meio inexplicável por certas coisas que o tempo depois nos ensina não serem de tal modo essenciais. Ser-se o primeiro em qualquer coisa nem sempre é uma grande virtude; pode ser simples casualidade. Mas, afinal de contas, é sempre uma casualidade importante. O pioneiro não faz, obrigatoriamente, as melhores coisas; mas, às vezes, o difícil é mesmo começar – e depois que alguém deu um passo, embora não muito seguro nem muito avançado, já o caminho pode ir ficando mais compreensível, e daí por diante a marcha se vai fazendo como por si mesma, rápida e natural.

Estas coisas me ocorrem diante do livro que Barros Vidal vagarosamente elaborou, e agora publica, a respeito das precursoras brasileiras. Como eu gostaria de mandar àquela jovem jornalista de Washington estas biografias da nossa primeira médica, da nossa primeira maestrina, da nossa primeira atriz, da nossa primeira aviadora!... Mas ai de nós! a vida é tumultuosa, a memória frágil, e duas pessoas que um dia conversaram tão próximas, tempos depois não se lembram mais uma da outra, não se reconhecem mesmo quando se encontram – pois delas talvez a vida não quis mais que aquele momento breve de um único encontro.

E agora eu queria dar-lhe razão. Pois estas histórias não nos estão mostrando como é difícil começar, fazer pela primeira vez alguma coisa que não está prevista na rotina dos tempos, enfrentar os preconceitos, sobretudo quando se é pobre mulher, – criatura a que nem todos ainda conferem o masculino privilégio (ai, tão mal empregado!) de ter alma...?

Eu não proponho que as mulheres – nem mesmo as feministas – mandem erigir um busto a Barros Vidal, que é homem modesto, e ficaria aflito com semelhante lembrança. Mas, considerando bem, não se pode ficar insensível a esta prova de camaradagem, a esta demonstração de boa vontade para com as suas colegas humanas. Sobretudo quando se pensa que nem todas estão mortas, e agora é moda as criaturas se entredevorarem, este gesto de simpatia se torna sobrenatural! Afastando, porém, a ideia do busto, não afasto a da gratidão que o autor merece, da parte de toda mulher que se tenha esforçado em realizar obra de utilidade – quando neste mundo, segundo opiniões abalizadas, e seguidas, uma mulher já faz muito quando consegue ser bonita.

Barros Vidal revirou arquivos, indagou, anotou, corrigiu, gastou o seu tempo e a sua paciência procurando coisas remotas, de tempos em que as memórias se escreviam n'água – não apenas como metáforas poéticas.

E eis que também ele se torna um pioneiro – é minha amiga americana! – também ele é um precursor, à frente de suas precursoras; também ele realiza o que não fora realizado, vencendo com longa perseverança os abismos de silêncio e as florestas de enredos que se abrem e se fecham diante dos passos de todos que querem, na verdade, caminhar.

Rio de Janeiro, *Folha Carioca*, 19 de junho de 1945

Evocação lírica de Lisboa

Acordas num lugar de brumas: brumas azuis e cor-de-rosa. Não tens certeza do céu, mas sentes em redor de ti um arejado bocejo d'água. Dizem-te: LISBOA. Não podes ainda ver claramente. São tudo espumas de aurora. Mas de repente o sol atira certeira uma chispa de ouro. E sentes um brilho súbito de nácar descoberto. Repetem-te: LISBOA. Percebes à beira do rio aquele caramujo enrodilhado, que vai ficando cintilante, poliédrico, de ouro, de vidro, de límpido e úmido azulejo. É um caramujo quieto, à cuja sombra o rio inventa e desmancha líquidos jardins de muitas cores. É um caramujo de outros tempos, que escutou muitas fábulas, que guarda dentro de si uma vasta memória marinha e em seus dédalos interiores, de sucessivos espelhos, vê passarem reis, cortejos, martírios, intermináveis navegações.

Obrigam-te a chegar perto, a pisar um chão que não sabes bem se existe: e em tudo percebes a respiração e o alimento do mar. Entras numa torre que está mergulhada n'água. E pensas em condenados que se puderam desfazer em limo, em alga, cujos suspiros devem andar incorporados ao lamento longo das ondas, cujas lágrimas se foram como ribeiros ao rio, e do rio a todos os oceanos onde estarão até quando nunca mais se chorar.

Chegas a um mosteiro, e vês o mar encrespando-se em pedras, vês um lavor só de água formando grutas, contorcendo-se em todas as cristalizações que pertencem às planícies submarinas: vês a medusa e a estrela, e o copioso nascimento do coral.

Sais como um mergulhador sentindo ainda às costas o peso dessa riqueza oceânica, e na primeira mulher que encontras reconheces a sereia dos mares clássicos, arregaçando suas saias de onda, erguendo o busto de areia, levantando nos ares a canastra espelhante de peixe. Queres ouvir-lhe o canto e não o entendes. Ó linguagem das náiades, ó grito das vastas solidões! – Queres segui-la, e não podes: ela não anda: resvala – desliza pela beira do dia e logo desaparece, por seu destino marinho, e ao longe sua voz é um bordado caído no rio, por onde os peixes vão correndo, todos transparentes.

Vais contornando esse lugar de saudade e encontras as grandes barcas briosas que vão para a pesca, e, ainda com muçulmana paciência, vês enrolarem os cordéis para os anzóis, com tal vagar e simetria, dentro de cestos redondos, como se ali na areia não os estivessem enchendo, mas propriamente tecendo-os – de seda em seda levantando-os.

E olhas para o interior de casas que são como aquários, onde uns altivos camarões estendem seus lisos bigodes mongóis e gigantescas lagostas meditam sobre a fina cerâmica da sua arquitetura.

Por toda parte sentes o cheiro da água, o apelo à navegação, um chão mole de praia próxima, um desejo de desprender velas. Até o cavalo de D. José vai ficando verde, comido de mar, gasto pela salsugem desta saudade marinha que lentamente vive minando tudo.

Vês a praça do mercado, e juras que tudo isto nasceu das águas: não é orvalho nem chuva, nem rega das hortas que goteja dos desabrochados repolhos, que escorre pelo caprichoso mármore das abóboras: é uma água mais longa, que funde os pés das regateiras num pedestal móvel, escorregadio, sem fortes certezas de terra. Sua voz também é de alto-mar: grito de temporal, exclamação entre mastros, em horas viris de aventura, com o naufrágio aberto ao redor.

De rampa em rampa, chegas ao cimo desse caramujo imóvel – e é o rio que te seduz. Mesmo se te levarem a Sintra, se te afogarem em árvores, é a transparência das águas que estás sentindo através das largas folhas, é o capricho das espumas que vês brilhar frouxamente na vaga inflorescência.

Retornas enfeitiçado. Queres fugir a esse contorno que a maresia desenha, esse contorno, sussurrante e acre. E vais pelo labirinto do imóvel caramujo.

Mostram-te palácios fatigados de tetos tão faustosos; igrejas onde (entre a dormente prata imortal, as negras arcas perenes) estão envelhecendo os santos, com suas barbas de pó e seus carunchosos dedos de que se vão desprendendo os milagres em liberdade. Mostram-te museus onde há coches para rodar pelo mundo da mitologia, tapetes para te fazerem esquecer as histórias da gente de hoje, sem mistério; panóplias para te sugerirem uma nova conquista do mundo; e sais de tanta riqueza e tanto sonho como sob um malefício, e vais à procura dessas vielas sujas, por onde perpassam gatos desconfiados até da sombra dos homens; por essas vielas que cheiram duramente a coisas podres, onde crianças, sarapintadas de lama, rolam pelas pedras com uma alegria intemporal, um movimento sonhado, um entendimento sem palavras; e vês por cima da tua cabeça roupas que não pertencem a nenhuma época, estendidas de uma casa para outra, como se não pertencessem também a dono certo. E perguntas que gente pode viver por aí, e és atravessado por um sentimento estranho, de desgraça e grandeza, como se não pudessem viver de outra maneira os netos dos heróis, essa raça desprendida das leis humanas, retalhadas de acasos, exposta cada dia à morte, sem raízes nesse território firme em que as pessoas comuns plantam sua casa, seu recreio, seu túmulo. Voam as roupas cheias de adeuses no alto das nuvens. Na janela negra, canta um passarinho e abre-se uma flor.

Erras por esses lugares e somente por aí podes encontrar figuras de égloga. Somente por aí podes ver pés que sabem estar tão lindamente descalços, com tanta pureza sujos, com tanta graça pousados nas pedras que vais procurando até o princípio das idades as gerações de pés nobremente desnudos que um dia transformaram a rotina do passo na insólita invenção da dança.

Querem levar-te por essas casas suntuosas onde as últimas figuras de Eça de Queirós, preocupadas e embaraçadas com o monóculo, o chapéu, a piteira e as polainas, esmiúçam asas de perdizes, discutindo brasões, romances franceses, alongando pestanas mouriscas a pitorescas damas turísticas de tempos ainda sem guerra. Mas tu preferes a penumbra dos cafés sonolentos, em cujas mesas todos os poetas da Lusitânia fincam algum dia o cotovelo e, fronte apoiada ao punho, criam aqueles sonhos que eles mesmos não governam, que são construídos como acima de sua cabeça por séculos de desejada vida, de esperanças obscuras, e no entanto latejantes como o próprio coração. Preferes esses cafés, em cujas mesas amargas mãos inspiradas vão traçando versos que ninguém ouve, histórias que ninguém lê, um mapa de paixão sobre mármore precário, que o criado vem lavar sem tristeza, sem piedade, como acaso patético do tempo, que desfaz, elimina o acontecido.

Querem levar-te pelas ruas novas, querem que admires os palácios recentes, de dentro dos quais estás sentindo uma ressonância de estrangeirismo alardear falsidades. Mas segues é pelas ruas sombrias, e olhas é para as casas de sucessivas varandas, todas diversas umas das outras, até a mansarda misteriosa, onde não consegues saber se há uma velhinha cosendo roupa para o neto que anda num barco, ou um neto querendo entender nos livros a razão da morte e da vida.

Mas as avenidas claras, as ruas negras agarram-se aos pés do caminhante: aí as casas fechadas estão de bruços, e fitam o transeunte como quimeras, esfinges, medusas. Têm corvos pousados na testa. Têm a cara toda em bicos. Têm varandas de ressalto, como escaleres para algum desembarque. Como as velhas fidalgas dos retratos apoiadas em espaldares, em mesas inverossímeis, também elas se recostam em arcos que dão passagem para o sobrenatural, a portas cuja serventia ficou paralisada, mas sobre as quais sentes inscrita a assombração inexplicável e para sempre.

Hão de dizer-te que há praças movimentadas, com elétricos rodando como um carrossel, com meninas tímidas, que acreditam em novelas, baixando os doces olhos à possível aproximação do impetuoso herói. Mas tu procurarás a praça mais escondida, com seu jorro d'água, com seus degraus molhados, com suas raparigas assustadiças que aparecem e desaparecem pelas paredes, pelas escadas, pelas rampas, por mil esconderijos de moiras. E ainda estarás ouvindo o rumor do mar pela pedra, no riso que deixam ao passar, antes de se encantarem no seu reino, que não penetras.

Hão de falar-te em belas mulheres caprichosas, que desabrocham em redor dos teatros, que cruzam as ruas de luxo e fazem parar com súbito assombro o gesto do derradeiro romântico ainda em peroração à porta das livrarias, – o chapéu de abas largas, a capa de ópera, a gravata ao vento. Mas tu queres ver é a mulher triste que anda cumprindo o fado pelas ladeiras de sombra, sob as janelas mortiças, na solidão da meia-noite, como se fosse solidão e meia-noite na Terra inteira, em todos os planetas, e até no céu.

E caminharás à procura do companheiro que lhe falta, e andarás por essas encruzilhadas vazias, onde até o vulto das casas estremece com o pisar dos passantes, e descobrirás em alguma taverna o homem que está cismando coisas difíceis, que se enredam umas nas outras – barcos, sorte, superstição, o homem de viola e de naipes que, se começa a cantar é o mesmo que abrir diques de séculos a torrentes de jamais compreendida nem consolável melancolia.

Pela suave tarde, quererão que vejas os pardais crepitando nas árvores e as finas senhoras esquecendo-se do dia entre chávenas perfumosas, tomando nos vagos dedos displicentes essas gulodices tradicionais, como joias tênues: a filigrana dos doces de ovos, o camafeu das amêndoas, esses retratos da ilusão que são os transparentes pastéis, desfeitos ao mais brando toque. Mas tu verás tudo isso e caminharás, sem querer, para os bairros ásperos, cujos habitantes dirias estarem ali desde o mais remoto passado, bruscos e imortais, com o seu copo rústico de vinho denso, e a sua sardinha lourejando no azeite. Tudo tão forte, tão autêntico, que a própria vulgaridade tem estilo e beleza, e se une diretamente à nobreza mais alta, sem trânsito pelo janotismo supérfluo, pelo artifício casquilho e anedótico de alguns salões.

Dorme, afinal, Lisboa seu sono de caramujo enrolado em lembranças. Quererão que escutes a música dos bairros iluminados, de seus cassinos e teatros, mas é a pequena música dorida e mal-afamada que precisas ouvir, porque está entrelaçada de muitas veias de eternidade e não vale pelo que dela nitidamente se ouve, mas pelo que ao longe acorda, quando soa, pelo que zune em suas franjas, emaranhadas de derrota e perduração.

Dorme Lisboa com seus fantasmas de reis, de degredados, de descobridores, de mártires, de gente afogada em cataclismos, esquartejada em forcas, festejada com esplendor que jamais se repetirá. Silêncio tão aconchegado que os doentes dos hospitais é como se não sofressem, e perguntas até por que haverá sentinelas à porta da cadeia calada.

É quando percebes como ressoam teus passos pelas ruas de pedra; pelas enormes escadas das casas de quatro andares, com os degraus já tão gastos no meio. E sentes o suspiro do rio abrir-se na noite, evaporado em frágil música.

Do último mármore do último café já se despediu o último poeta. Que canseira de versos por cima das mesas, pelo espaldar das cadeiras. Há muitas horas se extinguiram os últimos boatos, o último vestígio de mexerico extraviado pelas calçadas. Andam longe as bocas que falavam. E só há pontas de cigarro pelo chão. Cada um vai começando a sonhar o sonho que pode: há o sonho complicado dos hotéis de luxo, com prestidigitação de orquídeas e diamantes. Há o sonho espetacular das ruas novas com perguntas que amanhã teremos de interpretar no claro dia. Há o sonho das ruas antigas, grandes, chorosas, com rostos do passado, casos por acabar, uma inquietação de raça que nem dormindo se esquece. Há o sonho das vielas negras, – sobressaltados sonhos – com o grito repentino de quem não sabe se ainda pode dormir ou se já deve acordar. Há o sonho dos jardins públicos, da soleira das portas, dos lampiões, discretos: livre sonho sem limites como no princípio do mundo, quando não havia paredes nem tetos. Há o sonho das estátuas, no meio da noite, em pleno tempo, encarando-se umas às outras, recordando-se, de olhos para sempre abertos. Há o pequeno sonho dos pardais, debaixo das asas, por cima das árvores, e o oscilante sonho dos peixes ao longo do rio, do rio acordado, do rio sem pausa nem esquecimento, sem ontem nem dia seguinte, guardando a sua cidade, rondando todos os sonhos, construindo e reconstruindo, num ritmo certeiro, seu corpo esbelto e sem cansaço.

Sabes que é amanhã por estas vozes que se levantam em redor de ti com seus pregões singulares: vozes cabalísticas que anunciam números de sorte; vozes frescas, recém-colhidas, úmidas vozes saídas de vergéis e derramando aroma de flor e sumo de fruta. Mas principalmente pelo grito agudo e intraduzível da varina que outra vez vem à tona do rio, com as pregas da saia amoldando-se à escultura das ancas, e as mãos de coral brunido cintilando entre os peixes.

Ficas deslumbrado na névoa matinal, perdido entre os azulejos que começam a despertar, um a um, e são olhos de todas as cores mirando o céu e espelhando o dia. De todos os lados recebes esses olhares, esses lampejos. Principias a recordar as mãos que numa hora sem data suspenderam para sempre essas pequenas lembranças eternas em redor da encaracolada cidade. Principias a recordar as mãos que marcaram cada pedra da sua construção com essa forma simples e forte como a que o dono prega a fogo no lombo de suas reses.

Sentes em redor de ti o poder e a graça; o peso de um velho destino épico e a airosa leveza de uma luz que, sobre o severo passado, desenha uma asa quase frívola.

Ficas tão rico de antigamente, tão vencido por um amor de cancioneiro, por uma ternura conventual, dolorosa, – e ao mesmo tempo desejas sorrir, dançar, não pensar nada, ficar por essas praças, por esses jardins que são a imagem da vida e por onde andam crianças como pequenas flores soltas, com laços pelos cabelos, como felizes borboletas aprisionadas.

Tens vontade de estar em todas as varandas, de olhar a paisagem por todos os lados, de avistar os caminhos que desaparecem longe de ti. Que está para acontecer? A quem esperas? Tens vontade de ficar agarrado a esse caramujo de nácar, de percorrer sem descanso os seus recessos – e ao mesmo tempo sentes o rio – ah! o rio... – e tens vontade de partir, de descer pela onda azul que vai baixando, degrau por degrau, até a praça rumorosa do oceano. Vontade de partir para tornar a voltar... E é quando avistas as gaivotas que sobem tão lisas, com seu peito de alabastro, suas asas finamente lavradas, e vão atrás dos navios, loucas pela distância que se vai alongando, e na qual penetram certeiras e altivas, sem se esquecerem de onde partem, por mais longe que se aventurem.

Se lhes perguntares aonde irão pousar, depois de terem visto o mundo, as viagens, o ar sem termo, a largueza da água, responderão: "Em LISBOA". Em Lisboa. E elas mesmas não sabem por quê. Tu também não sabes, não entendes. Ficas apenas extasiado.

São Paulo, *Jornal de Notícias*, 30 de dezembro de 1947

Conversa de bichos

Ai de mim, não eram os próprios bichos que falavam, – coisa que só se vê, segundo dizem, na maravilhosa noite de São João. Eram os viajantes, num banco por baixo da janela do meu camarote.

A viagem começara aquela manhã. Navio pequeno. Trouxas, embrulhos, cestas, as variadíssimas coisas que levam os passageiros dos barcos com escalas. Crianças que se dobram nas varandas, para verem as rodas do navio, as cordas, as baleias, o fundo do mar. Recém-casados que não estão vendo nada, nem baleias nem cordas nem águas nem mesmo a cara um do outro, tão embebidos naquilo que pensam ser a felicidade que até parecem fantasmas sorrindo. Gente muito viajada, que sabe os nomes das ilhas, dos cabos, das penínsulas e até dos arquipélagos – tudo ausente. Homens que andam sempre de binóculo, ainda que só sirva para ver um mosquito. Gordas senhoras prudentes que, pelo sim pelo não, carregam cachos de bananas. Mocinhas que ouviram dizer que a moda é trazer óculos escuros e lenço amarrado ao queixo. Grandes tosses. E os calafates passando pelo convés, enrolando cordas, com as canelas de fora e o dente de ouro luzindo.

A hora do dia, o balanço da água, o ambiente geral causam vasta preguiça. Fecho-me no camarote e corro as cortinas. O homem está dizendo:

– Já tive jacu. Já tive paca. Inté cobra já criei.

– Cobra?

– Veja só. Fiz um estudo! Há duas espécie: as não venenosa têm dente de peixe; as outra têm dois dente cumprido. É munto fáci de vê.

– Ahn, mas então é perciso fazê a bicha abri a boca.

– Umas têm escama; outras têm o corpo liso. As venenosa, percura dá bote; as não venenosa morde divagarinho. As não venenosa é inimiga das venenosa.

– O quê!

– Sim sinhô. Há um médico em São Paulo que estuda isso. As de cipó não é venenosa. Essa tá que eles chama de corá, existe duas espécie: uma venenosa, outra não.

– Engraçado.

– Agora, a que todo mundo conhece é a cascavé. Mas tem um soro pr'ela. Vi um sujeito mordido. Tomou uma injeção, no espaço de cinco minuto estava curado. Num é perciso esse negócio de queimá, amarrá... Nada. Só cum esse soro fica bom.

– Que coisa!

– Eu tive no sertão. Um home foi mordido por uma cascavé. Nem falava nada. Apriquei a injeção, no espaço de cinco minuto começou a resmungá "em... em... em ..." e expricou que em tá lugá ele tinha matado a cobra. Então? Si não fosse o soro esse home não estava morto?

– É mêmo.

– Aqui no Brasí nóis tem munta cobra. Aqui não é nada. Elas anda escundida. No interiô é que é!

– Ah! no interiô...

– Eu tive um côro de onça. Mas que côro! Um côro que inté parecia de um boi. Só não tinha muito valô, por causa de dois rombo. Ela foi baleada. Mas que côro! Que beleza de côro! Pintada. O sinhô punha assim – parecia um tapete. Bom pra botá no quarto. Muita gente usa.

– Se usa!

– Já tive um de jumento. Nunca viu, não? Que beleza de pelo!

– Não é como o do cavalo?

– Quá nada! Deferente.

– Ainda não reparei.

– E os sapo? Essa tá de Europa! Teve um tempo que inté os sapo entrava na dança. Comprava por vinte e cinco, por vinte e oito... Um dinheirão! Diz que era pra fazê bôrsa.

– Faz muito tempo.

– Coisa munto originá é sapo boi. O sinhô conhece?

– Qué dizê...

– Eu tava ali, e ouvi o sapo "crr... crr... crr...". E o povo agromerando. Ele avançava. Parecia um porco. Fazia uma zoada como um bicho grande. Ficava assim em pé. Si me contasse, eu não aquerditava. Fui contá pra famía, minha mãe me disse: "Sai daí có essa história".

– Parece mêmo impossive.

– Pois é. – Eu tive uma galça. Uma galça do Amazona. Que galça linda! Na fazenda do doutô Chico tem cada galça! Mas que galça! A carne daquelas galça parece galinha. Milhó que galinha!

– Se come?

– Se come. Que carne saborosa! Ah... – No Rio Grande do Norte comi munto foi marreco. Comi tatu. Comi viado. Inda não provei (diz que é munto bom) é o tá de cágado. O viado é uma carne munto seca. Lá na minha terra, tem tudo que é caça, no mercado. Até cobra jiboia eles vende. Veja só: teve um tempo que carne verde um quilo custava seiscento réis.

– Seiscento réis?

– Sim sinhô. De carneiro, mil e duzento. De porco, mil e quatrocento.

– De porco!

– Eu gosto munto daquele peixe – como é que se chama? – Um que tem a cabeça mole...

– Peixe de cabeça mole...? Qual é?

– Tive um passarinho. Mas que passarinho! Cantava que nem uma flauta! Depois, deixei ele no hoté. Quando vortei, a muié disse que tinha morrido. Fiquei com uma raiva! Não custa nada botá água limpa! Não gasta nem dez minuto. Nem cinco minuto. Ela me disse: "Eu inté guardei ele pru sinhô vê. Mas o sinhô custô vim!" – O sinhô sabe por quanto eu vi vendê um cardiá?

– Quanto?

– No Rio Grande do Norte? Na capitá? Ele só fazia assim: "fiu, fiu, fiu, fiu...". O home disse: "Você qué vendê o seu cardiá?" Ele disse: "Eu não vendo o meu cardiá." Ele disse: "Eu dou trezento mil réis." Ele disse: "Eu não vendo o meu cardiá." O home disse: "Mas eu dou trezento mil réis." "O sinhô tá brincando."

"Não tou. Dou os trezento. Você pode comprá outros cardiá." Ele disse: "Mas não posso comprá outra vez o meu cardiá." E não quis. Também o sinhô pegava na gaiola, ele fazia logo: "fiu, fiu, fiu, fiu...".

– Essa é boa!

– Conheço um sabiá que a quarqué hora que o sinhô quisé arremeda tudo quanto é pássro. Pássro quando é bom pode estranhá o lugá. O tá do cardiá é um bicho que espanta munto. Agora um pássro que também canta e é inteligente é o tá do sofrê. Conhece inté as pessoa da casa. Em Pernambuco tinha um, num hoté. O sinhô passava na porta, batia o otomove, o bicho fazia assim "fun... fun... fun...". Eu fiquei...! Cruz! Então o hoteleiro me disse: "Sabe que é? Ele tá me avisando que é hóspede novo que chegou." Um pássro fazê isso!

– É mêmo!

– Mas eu conheci um papagaio que quando as pessoa sentava na mesa, dizia: "Café pra Maria!" E ia dizendo o nome de cada um. Era onze irmão! Sabia o nome de todos ele...

– E diz que bicho não entende...

– Pois é... Eu conheci um...

*

Daqui por diante, leitor, não ouvi mais. Se a história também lhe deu sono, não faça cerimônia. É para isso que uns falam e outros escrevem...

Rio de Janeiro, *A Manhã*, "Letras e Artes", 8 de agosto de 1948

Viajar (I)

Há as viagens que se sonham e as viagens que se fazem – o que é muito diferente. O sonho do viajante está lá longe, no fim da viagem, onde habitam as coisas imaginadas. A realidade da viagem está em cada ponto do caminho, nos algarismos do câmbio e no peso das malas, nos carimbos dos passaportes e nos atestados de vacina. De modo que o prazer de viajar se obscurece, de repente, sob essas pequenas mas implacáveis obrigações que gastam o tempo e a sensibilidade do viajante impaciente.

Portugal exige dos viajantes atestado de vacina contra a febre amarela. Em vão, o grande Oswaldo Cruz mandou policiar as águas; em vão, os mata-mosquitos percorrem os nossos quintais, espiando caixas, virando latas, vigiando cada rego, cada tanque, matando os inocentes peixinhos dos nossos aquários com suas drogas fulminantes. Em vão, exterminamos os nossos mosquitos: Portugal precisa ver por escrito que estamos vacinados contra a febre amarela...

Creio que nos submetemos à vacina só por amor a Portugal. É grande maçada, e, na nossa opinião, uma exigência descabida: nenhum brasileiro acredita mais em febre amarela, e os mosquitos, para nós, já são coisa de arqueologia... Então, por amor a Portugal, para vermos Portugal, para ouvirmos as varinas e

210 ✦ Cecília Meireles

comermos doces de ovos no Chiado, justificamos a exigência, e até a achamos muito natural, e dizemos que se trata de uma precaução contra os mosquitos de Dacar, não contra os nossos que, se existissem, seriam apenas amáveis músicos invisíveis de uma liliputiana banda...

Ah! os de Dacar, sim, esses é que são os perigosos! – grandes mosquitos insidiosos e vorazes, sentados à beira-mar, à espera dos viajantes distraídos, afiando o seu aguilhão em negras pedras de amolar, que rodam dia e noite, entre as ondas e as estrelas, preparando a morte bárbara com venenos atrozes, nessas farpas de aço finíssimas...

Então, por amor a Portugal, para vermos Portugal, com seus campos e suas colinas, alistamo-nos com fervor nessa guerra santa contra os mosquitos de Dacar – esses mouros fatídicos – e lá vamos para a nossa vacina com uma certa auréola de beatitude – que sempre se ganha, com qualquer fanatismo.

Pois, além da auréola, ganhamos outras coisas mais: ganhamos a graça de penetrar no palácio que foi da Marquesa de Santos, uma das senhoras mais interessantes da nossa história, seja o que for que pensemos a seu respeito. (Na verdade, que outra figura feminina lhe podemos contrapor? Que infanta, que princesa, que imperatriz?)

Se dispusermos de algum tempo, alguém nos mostrará nas janelas desse palácio os corações de vidro entrelaçados, símbolo bem poético da fragilidade dos amores, mesmo – ou principalmente – imperiais.

Alguém nos mostrará, também, numa parede, a famosa mosca que dizem ter sido pintada por Pedro I, esse homem maravilhoso que, além de ter dado a independência a um povo e encher a história do Brasil com a sua turbulência amorosa, ainda conseguiu deixar fama de poeta, músico e pintor...

Depois de tudo isso, o mais amável funcionário do mundo nos conduzirá a uma sala onde o mais amável dos médicos nos depositará sob a pele o mais amável dos soros – que, sem sombra de febre ou de qualquer mal-estar – nos fará rir dos mosquitos africanos, – postados à nossa espera, – permitindo-nos, ao mesmo tempo, o gozo de todas as delícias lusitanas, um pouco adiante, ali na esquina da Europa, onde o Tejo e o céu brincam de jogar faíscas de ouro um para o outro.

Viajar é uma grande coisa, naturalmente. E seria ainda maior sem vacinas, sem bagagem, sem câmbio, sem carimbos nos passaportes...

Mas ah! sem os mosquitos de Dacar, quem pensaria com ternura no nosso primeiro imperador e na sua marquesa? Há uma grande distância entre o compêndio onde se estuda e o palácio que se atravessa, que ainda se pode sentir, com sua mosca pintada e seus vidros em forma de coração, como abraçados pombos transparentes...

[1951][3]

---

3   Com letra de Cecília Meireles, lê-se: "Crônicas de viagem (1951-52) enviadas para os Serviços da Imprensa. As que não estão neste grupo, por isto ou por aquilo, não foram remetidas para o referido Serviço. C.M." (N. O.)

Viajar (II)

Viajar não é nada: lá vai um pobre com as suas vacinas, o seu passaporte, as suas malas (cujas chaves se fecham não abrem e se abrem não fecham), o seu cachenê contra o frio, as suas pastilhas contra o enjoo, o medo das enxaquecas em terra estranha, o saco d'água quente para os lugares sem calefação... ai! lá vai o pobre tão consolado por ir para longe, por se evadir de seus mesquinhos problemas diários, por não ver as caras conhecidas, por não ver a sua própria cara, pelo menos à mesma luz, ou no mesmo espelho... – e a sonhar, a sonhar, não se sabe com quê...

Não se sabe com quê, – pois o hotel custa o mesmo em qualquer parte, o bife é igual, em moeda diferente, o café custa mais, – no fim das contas, tudo sai pelo mesmo preço... Uns fazem o pão retorcido como bengala manuelina, outros usam-no fofinho como travesseiro de paina; estes gostam de chocolate em grânulos, aqueles preferem-no em tabletes; aqui põe-se o chá por cima do leite, e lá é o leite por cima do chá; todos pensam que o Rio de Janeiro é em Buenos Aires (que fazeis, ó cartógrafos nacionais?); há os forasteiros caçando cristais e perfumes como outrora faziam às lebres; outros, vão pelo ferro velho a descobrir pechinchas como os portugueses descobriam continentes; uns farejam de cá, outros de lá, pelos balcões, pelas lojas, pelas bibliotecas, pelas exposições, – uns estão contentes, outros estão tristes; uns procuram, outros encontram; uns querem ser notados, outros esquecidos; uns sabem o valor das peles; outros, o dos livros; e muitos outros acompanham o subir e o baixar da moeda, e correm para aqui, e fazem dólares, e dão um pulo para lá, e fazem pesetas, e tornam a pular e fazem francos e libras e florins e escudos e liras, – e tudo é muito engraçado e muito horrível, e ninguém sabe bem o que faz... E isso se chama *viajar*!

Ora, no meio dessa barafunda, aparece a mão. Não, senhores, não é nada surrealista: é a mão real, a mão direita, com palma e costa, cinco dedos, o polegar, o indicador, o médio, o anelar e o dedo mindinho... a mão com suas unhas, mais limpas ou mais sujas, segundo as circunstâncias... a mão de palma para cima, com a linha da vida, a linha da cabeça, a linha do coração e os seus montes e as suas ilhas e cruzes...

É a mão que espera a gorjeta!

Apanha-se a mala do chão e a mão aparece; abre-se qualquer porta, e lá vem a mão; toca-se a campainha, e, antes do elevador descer, já vem a mão na frente, pelas cordas abaixo; pousa-se a xícara do café – e olhe ali a mão! desce-se do automóvel, a mão desliza em plano horizontal; entregam-nos uma carta; e eis a mão em plano vertical... Entra-se numa loja e rodam tantas mãos por todos os lados que não há deus hindu que as tenha tão numerosas... A mão está em toda parte e lugar, com anéis, sem anéis, com ou sem pelos, com ou sem calos, e ao longe ouve-se a voz que a acompanha, a agradecer, em falsete, a gorjeta que se deixou cair, falsete com mais ou menos modulações, segundo a referida gorjeta.

Não há espetáculo que resista a essa obsessão; não há obra de arte que não esteja manchada por essa dura sombra. Ela está no doce que comemos e no casaco que vestimos, na música do jantar e no cumprimento do chapéu... Fica sobre o nosso melhor sonho, e empana-o... Tira-se a gorjeta do bolso: fica-se com ela no espírito...

[Rio de Janeiro, 6 de dezembro de 1951]

Pequena viagem

Há, pelo menos, dois tipos de viajantes: os que desejam viajar e os que desejam chegar. Os segundos procuram o meio de transporte mais rápido, reclinam-se, fecham os olhos e esperam pela chegada ao ponto de destino. São criaturas tranquilas, embora velozes; não se querem desgastar na observação do caminho. Tendo passado por ele uma vez, nem admitem que se tenha produzido alguma alteração, nem imaginam que se venha a produzir. Quando outra pessoa mais sensível lhes fala de qualquer mudança, de qualquer novidade, ficam admiradíssimos. Não reparam que as árvores mudam de cor segundo a época, não descobrem esta ou aquela construção recente, e seguem felizes, pois para eles o mundo é absolutamente estável e a paisagem também. E, de certo modo, eles próprios.

Há, porém, os infelizes imaginativos, que notam a ausência de qualquer marco da estrada, de certos anúncios, que descobrem conselhos novos da sinalização, reparam na extensão de uma pista, na erosão de um morro, na magreza do pobre bezerrinho que se vai encostando, como um filho triste, ao flanco de sua mãe igualmente desamparada.

Hoje descobri que a minha cidade está ficando completamente mudada. Há muito tempo que eu não saía de casa: e eis que me aparecem vias, "trevos", largos espaços vazios de casas, homens e máquinas em plena atividade... Tudo isto deve ser para as festas do Quarto Centenário. Se chegarmos até lá (as obras e eu), vai ser uma grande alegria, pois esta chamada "cidade maravilhosa" passou por grandes vexames, toda esburacada, suja, poeirenta. Chegaram até a parodiar-lhe o hino, paródia que não transcrevo (embora na época fosse perfeitamente adequada) para não tripudiar sobre uma cidade que nasceu bela e honrada, tem os títulos de leal e heroica, e, por patrono, São Sebastião, um dos santos mais simpáticos e sofredores entre os grandes da corte celeste.

Assim fui até os limites da cidade: tudo era verde, azul, dourado, com os laranjais subindo pelos morros; um caboclinho a pular no alto do seu cavalo desconfiado; um preto de uns duzentos e cinquenta anos de idade a fumar à porta do seu casebre, com amável tranquilidade, e a olhar para os automobilistas com expressão provavelmente semelhante à dos tamoios, ao verem chegar as naus francesas...

Este Brasil deslumbrante ora se parece com a Índia, ora com a Holanda de vastos campos, e quando aparece uma velha casa por entre árvores lustrosas, é como se passássemos por certos lugares de Portugal.

Às vezes aparecem rebanhos esqueléticos, cavalos soltos, tangedores de bandeirinha vermelha, e, em dado momento, parece que o tempo andou para trás, e voltamos ao século XVIII. Mocinhas muito escurinhas, com vestidos vermelhos e amarelos vão sorrindo para este mundo, felizes só por existirem, e sem conhecerem essas atrapalhações do mundo político e moral que periodicamente nos amarguram, produzem úlceras e outros distúrbios sentimentais.

E agora cheguei a esta cidade encantadora, com chaminés, fábricas, de nuvens brancas e róseas: uma cidade que vai sempre mudando, que agora já conta com alguns arranha-céus (bem-comportados na altura e cores), e onde os operários possuem suas pequenas casas tão lindas, brancas, cor-de-rosa e azuis, com sua varandinha, seu jardim, suas cadeiras de ferro, seus degraus, seus portões... É verdade que "até nas flores se nota/ a diferença da sorte", e, entre os moradores de uma cidade qualquer, as diferenças de gosto, pois tendo todas essas casas as mesmas proporções, e aproximadamente as mesmas disposições, umas estão com os seus jardins virentes, as suas cortinas limpas, os seus vasos de plantas bem cuidadas, enquanto outras, de tanto abandono causam tristeza ao passante.

Enfim, é como se eu hoje tivesse tirado férias, e saísse pelo mundo apenas para fruí-lo. Mas os senhores estão vendo que as férias já viraram artigo, isto é, trabalho. Dada a beleza do passeio, alegra-me comunicá-lo aos sedentários, aos que viajam muito depressa, aos que não olham para as galantarias deste Brasil. Venham todos alegrar seus olhos nestes verdes e azuis, nesta luz dourada, nestas águas cristalinas do caminho, e na cidade que agora começa docemente a escurecer.

[1951]

Paris-Rio

Logo que tomei o avião em Zurique, senti-me absolutamente a caminho do Brasil, embora, na verdade, estivesse a caminho da França.

É que, até ali, em mais de quinze horas de voo, nenhum piloto holandês me havia aparecido nem falado; mas, em cinco minutos de avião francês, havia um pequeno e brilhante discurso, em que se comunicava a hora e a duração da viagem, a altura das nossas asas, e a delícia dos aperitivos que nos iam servir. (O moço falava com desembaraço e grandes gestos.)

Vieram as gulodices, – o avião estava cheio, – todos comeram, creio que alguns repetiram – e é bem possível que tenham lambido os dedos (ou pelo menos os lábios...) – porque, na verdade, em matéria de coisas gostosas, quem viajar pela França distraído cai logo em pecado mortal.

Aí, todos ficaram contentíssimos; e aquele prazer do açúcar atrapalhava a minha cabeça, e eu tornava a perguntar aos numerosos botões do meu casaco: "Mas é para o Rio que estamos voando, ou para Paris?"

À hora de descer, a mesma coisa. O avião rodava, rodava. Eu bem via que estava faltando alguma coisa: quem sabe lá? – algum parafuso, alguma dobradiça, algum barbante na roda, como no nosso automóvel...

Faltava, sim! Mas os passageiros queriam descer assim mesmo; tal qual no Brasil, tal qual.

Então, o piloto veio segurar os passageiros apressados, com um sorriso, um abracinho, umas pancadinhas no ombro, esse nosso jeitinho camarada de companheiros de infância...

E o próprio piloto parecia um brasileiro, desses nossos brasileiros simpáticos, afetuosos, persuasivos, que vão rareando, eu sei, mas ainda se encontram, de vez em quando...

Faltava não sei o quê, – à boa maneira latina – devia ser um degrau na escada, um gancho, uma rodela, uma placa, – sei lá! Como é que eu posso saber essas coisas de aviação?! – mas o avião desceu, apesar disso, pousou, ficou quieto, – tudo azul, como se diz no Brasil.

O azul não se via, porque era noite. Para mim, estar ali ou em São Cristóvão ou na praça da República, era exatamente a mesma coisa. E embora estivéssemos falando francês, não sentia diferença nenhuma, nenhuma estranheza, nenhuma sensação de viagem.

Acontece, porém, que eu nem sabia onde estava, nem havia ninguém à minha espera, nem brasileiro nenhum pelas redondezas. E eu sem a mais leve aflição! Cheguei até a querer estar aflita. Mas não estava.

E havia funcionários, empregados, carregadores, – e falavam comigo e eu falava com eles, e era uma coisa só – e creio que eles me achavam tão francesa quanto eu os achava brasileiros, porque não houve um só momento em que passasse entre nós a mais leve sombra de discordância. Visaram o meu passaporte com tal naturalidade que eu até achei esquisita. E quando quis abrir a carteira para pagar ao carregador e a carteira resolveu teimar comigo, o carregador achou graça, e me disse assim: "Não tenha pressa, não; não se impaciente!" A carteira até ficou envergonhada e resolveu não continuar a teimar.

Olhei em volta, e pensei: "Bem, isto é ali pela avenida Brasil..." Todo o mundo entrou no ônibus, não havia lugar para todos – (eu não disse que o avião vinha cheio?) cada um fez o que pôde, malas para cá e para lá, o motorista foi por ali afora como uma flecha... automóveis por todos os lados, zaz-traz, perpendiculares, em diagonal, paralelos, mil encontrões imaginários, mil sustos, nenhum desastre. Tal qual no Brasil. E eu pensando: "Bem, isto é a praça Mauá."

Casas de cara conhecida; arquitetura do começo do século; muros, paredões... – as ruas mais largas, um pouco mais largas, muito mais largas... Bem, os táxis é que são mesmo muito, muito mais largos, quadrados, vermelhos e

Crônicas de viagem I ✦ 219

pretos, com tanto espaço dentro que até pode viajar uma família inteira, com a sala de jantar, o dormitório e o piano. Palavra. Foi o meu primeiro assombro. Talvez o único.

E agora estou vendo por que os brasileiros gostam tanto de Paris. Há em tudo um ar de família que impede qualquer constrangimento. Eu acho as pessoas parecidas, as ruas parecidas, as casas parecidas. Até as coisas que não há, no Rio, poderiam estar lá, em certos lugares, como estão em Paris. Às vezes, associo uma coisa a outra, encontro uma praça de lá num jardim daqui; lembro-me de uma escada do Rio, num edifício destes; sinto a presença de uma estátua...

Bem, eu não quero dizer que o Rio tenha estas proporções, esta grandeza... Nem Paris tem o Corcovado nem o Pão de Açúcar, nem a Guanabara... Mas é um certo parentesco. Espero que os franceses não se aborreçam com isso. Nem os brasileiros, tampouco...

[1951]

Chartres

Não, não, Paris não é a França, e eu não vim aqui para levar comigo perfumes a preço convidativo. (Os senhores da alfândega podem mesmo revistar a minha bagagem.) A França está por aí por esses campos, em muitos pequenos lugares, na sua terra lavrada centímetro por centímetro, nos seus castelos de amontoadas recordações, na tradição de cada recanto, no rosto grave, no rosto antigo desta gente agarrada ao solo, com seu sentido de permanência que Paris converte em futilidade radiosa.

Eu não posso falar de Chartres. Ninguém pôde jamais fazê-lo. Não creio que ninguém o consiga jamais.

Chartres não é uma coisa infinita, no espaço. Não. É até uma coisa limitada. Limitada a uma catedral. O resto, em redor, pensativas casas cinzentas, fechadas, contritas, como velhas mulheres em oração.

Um pouco mais longe, o movimento próprio destes pequenos lugares, na Europa. Em torno da igreja, um silêncio tão poderoso que, embora por ali brinquem as crianças de uma escola, sua algazarra se dilui no ar frio do outono, desfolha-se como já se desfolham as árvores, ao passar do vento, e não se sente mais nada do que a imponente massa de pedra prodigiosamente esculpida, e

Crônicas de viagem I ✦ 221

adornada de vitrais policromos que de fora não se veem, mas, de dentro, ardem como joias, misturando safiras e rubis e esmeraldas...

Construída e reconstruída várias vezes, esta catedral representa uma continuidade de fé que até hoje se sente viva, palpitante, apesar da inconstância e diversidade das eras. Em quanto tempo se lavra uma figura destas, na pedra, e se executa cada vitral para esta representação sagrada que parece chegar miraculosamente do céu e atravessar as paredes, a fim de edificar os fiéis e estabelecer definitivamente o pacto entre os homens e Deus?

Agora, na praça deserta, sente-se como os séculos se prosternam, fatigados e vencidos. Mas como poderemos imaginar os tempos desta construção fabulosa, com a pedra carregada de longe, num esforço coletivo a que se associavam humildes e poderosos, porque se tratava de assunto divino? Como poderemos imaginar estes apóstolos nascendo com suas roupas e seus emblemas das mãos desses homens antigos, quando o artesanato reunia as aptidões e, na obra terminada, respirava o contentamento e a expressão do trabalho coletivo? Como poderemos imaginar essa alegria dos vitrais brilhando pela primeira vez no alto dessas paredes, levantadas em portentosa arquitetura? O olhar embevecido dos homens diante dessa vitória do céu sobre a terra, do sonho glorioso sobre a realidade honesta e simples da pedra, do vidro, do ferro?

Penetra-se em Chartres não como numa catedral, apenas: mas como no coração ardente de homens extáticos, depois de terem realizado a proeza gigantesca de uma paixão espiritual.

Eu sei que essas palavras não dizem nada. Chartres não se diz. Aprende-se, – aprende-se no esforço da monumental escultura que, no entanto, parece uma leve renda bordando portais, subindo com suas histórias e seus personagens da terra dura onde sofremos às paragens do sonho de não sofrer assim...

[1951]

Mapa lírico

"*Ya no se pasa Bayona, ya no se puede pasar!*" Isso era a cantiga do pequeno artilheiro, que ia a vencer mouros com o seu capitão. (Mas Bayona está tranquila, os mouros por onde estão? Ontem mesmo andei lá perto, – e era dia de São João: quando as coisas encantadas perdem sua encantação. Nem mouros nem artilheiro, muito menos capitão.)

É quando aparecem as belas meninas abraçadas, que habitam montanhas e bosques, e, quando a tarde declina, vêm ver o rosto dos viajantes que passam, cansados, enquanto elas, com seus vestidos de babados e fitas, contam umas para as outras, baixinho e de mão na boca, seus pensamentos de adolescentes. (E têm todas as sete coisas que fazem as moças formosas: olhos negros, e testa larga, boca pequena, sobrancelha arqueada; a cintura delgada, e fino, o nariz, e os dedos compridos... Oh! as sete coisas que tornam todas as mulheres formosas!)

Diante destas meninas que se põem a cantar, sobre a tarde, como em história de fadas, perdemos até o número da estrada que seguíamos. E abrimos o mapa da Espanha, para estudarmos o caminho, enquanto é dia. (Ai, dize, bela menina, ai, dize, menina bela, se vamos para as Astúrias, para Navarra ou

Castela!) E se a menina fosse galega – que não era – bem nos podia responder: "*Uns corren para Castilla, outros para Cáis se van, e solo Dios é o que sabe onde la fortuna está...*"

E aqui começam as nossas lutas sobre o mapa demasiado lírico. RONCES-VALLES. (Vamos ver Rolando com a vista perdida, a cor demudada, a espada caída, pousando na pedra seu último dia: "Valha-me a Virgem Maria!")

Mas não: LA ALMUNIA DE DOÑA GODINA chama por nós com o ar convidativo de quem nos receberá com fruta e pão caseiro, e nos contará histórias de mouros e ciganos, até adormecermos ao som de sua antiga voz. (Queremos *Doña* Godina em seu quintal, tangendo suas lembranças com brisa tão musical que se encha de estrelas brancas o céu do seu laranjal.)

E se fôssemos para EGEA DE LOS CABALLEROS? Deve ser sítio de romance, com descendentes anônimos das hostes de Carlos Magno. Iremos para lá! Mas há ORIHUELA DEL TREMEDAL, que deve ser um pântano cheio de ouro, por onde os cavalos quebram as pernas, e os automóveis perdem as rodas, e onde se fica atolado em ouro e lama até o pescoço, mas sempre cantando: "Em clara tarde de junho, indo eu para Portugal, desviei-me do caminho, Orihuela del Tremedal! Tudo por causa de um nome, desse teu nome fatal! E agora aqui presa canto, que o canto é todo o meu mal!"

Não, por aí, não: antes para TORRECILLA DE CAMEROS! Este é que é nome seguro: imaginai uma torre pequenina, cheia de fabricantes de camas, que cortam madeira, ajustam-na, cobrem-nas de mil adornos, pintam-nas de mil cores, com todas as primaveras da Espanha amarradas em fitas voantes. E os fabricantes de camas subindo e descendo a torre, vendendo aos viajantes essas camas de sonho, com mil raminhos de flores e passarinhos e borboletas, como nos bordados de Espanha, tão orientais. Ai, mas isso não existe! TORRECILLA DE CAMEROS deve ser apenas um nome, como acontece a tantos outros lugares!

E MOTILLA DEL PALANCAR? – Aqui estamos perdidos nesta encruzilhada de versos, enquanto as belas meninas claras e rosadas cantam que cantam enquanto a noite não vem. (Meninas, para onde iremos? Qual é o melhor lugar? TORRECILLA DE CAMEROS? MOTILLA DEL PALANCAR? As meninas não respondem: continuam a cantar!)

Poderíamos também ir dançar com elas, de mãos dadas: "Onde vai mais alta a lua? Onde o sol terá mais brilho? SAN MILLÁN DE LA COGOLLA? NAVA DE RICOMALILLO?"

Pensamos em felicidades clássicas, doçuras virgilianas da vida simples, entre abelhas douradas, e apontamos no mapa: COLMENAR VIEJO. Mas não! um pouco mais longe, chegaremos a FUENTE DE CANTOS, – e esse é o verdadeiro lugar por que suspiramos! Vede: uma fonte que não derrama apenas água, o que já seria muito cantar, – mas CANTOS, palavras, música de pensamento. (Cesse a amargura! Sequem-se os prantos! COLMENAR VIEJO, FUENTE DE CANTOS!)

Mas ainda não tínhamos avistado este nome prodigioso: MADRIGAL DE LAS ALTAS TORRES! Aqui teremos de parar. Não encontraremos em nenhum outro mapa, e nem mesmo neste, nome que possa provocar mais delírio imaginativo. Com isto já saímos da realidade e mesmo da terra. TORRECILLA DE CAMEROS humildemente desaparece. Afinal, era uma torre pequenina, embora muito povoada de artesãos, que só posso imaginar vestidos à mourisca e trabalhando em atitudes de miniatura muito antiga. Mas, agora, estamos em altas torres onde se cantam madrigais. Talvez se cantem de uma para a outra, com pessoas invisíveis, – apenas a voz das palavras e dos instrumentos palpitando no ar como galhardetes... (Deixai-me vir pelos ares! Escutai a minha voz: que sejam meus os pesares, e a ventura para vós... Ai, amor, – estas são lutas estranhas, em que perde o vencedor!)

Então dizem: RAMACASTAÑAS! (Ai, agora, até o horizonte, RAMACASTAÑAS, não pensarei mais em torres, nem em colmeias nem fonte. RAMACASTAÑAS. Encontrei um novo nome, RAMACASTAÑAS, um nome de altas façanhas: PEÑARANDA DE BRACAMONTE!)

Por isso, fechamos o mapa, e, como os cães principiam a ladrar e há sombras que se deitam de um lado e de outro do caminho, consultamos as meninas pela última vez. Como deviam fazer, outrora, as almas simples, diante do misterioso oráculo: "Menina de voz tão bela, iremos para Castela? Menina de rósea mão, iremos para Aragão?"

As meninas riem-se muito, e fazem gestos de princesas em tardes de torneio. Sacodem a tarde na ponta dos dedos, como um lencinho pequeno. Apontam-nos para muito longe, para os lados do mar... É por ali que devemos ir... Para SAN SEBASTIÁN. Ah! SAN SEBASTIÁN... Veremos areias lindas. Iremos por um caminho formosíssimo, entre os lampiões mais belos do mundo. De repente, nos encontraremos com o mar. Mar cântabro. Depois de tantos mares, vistos, ouvidos, sentidos, uma grande saudade marítima nos abraça e carrega. "*Irme quiero, madre, a aquella galera, con el marinero, a ser marinera.*" E a noite começa a espalhar pelo céu grandes gestos de névoa, e a escurecer as árvores, e a fazer sentir pelos ares um estremecimento grave, que só no campo, na paisagem vazia e nas grandes solidões ecoa. *"Decid, ondas, cuando vísteis vos doncella, siendo tierna y bella, andar navegando?"*

E SAN SEBASTIÁN, toda coberta de noite recente, com seu mar alvacento, sua névoa fina e acre, jaz sossegada, com sombras de turistas pela praia, pelas varandas, tão mansos e indistintos, que nem parecem vivos, mas já em fantasmas, visitando lugares que, outrora, não chegaram a ver completamente. Ditosa Espanha, onde os turistas já chegam sob esta forma! Como são diferentes dos outros! Sem gargalhadas. Sem pressa. Com suaves cachimbos, que fumam sem fogo nem fumaça, e mãos vagarosas, que levantam com muita elegância o seu copo de vinho tinto... Aqui, os rápidos, nervosos, pressurosos, são os copeiros, que parecem elétricos, movidos por molas de aço, incansáveis e certeiras. Muitas moças espanholas estão em redor das mesas. E até já vi um leque aberto. Todas têm olhos pretos. Mas, olhos pretos, testa larga, dedos compridos, cintura delgada, boca pequena, sobrancelha arqueada e nariz fino... ai!... tudo isso junto não se encontra por toda parte... Isso ficou longe, nas três meninas encantadas, num lugar mitológico, para os lados da fronteira, um pouco para cá de Irun...

[1951]

O avião

O aeroporto não é, como o cais, lugar de chorosos adeuses, nem, muito menos, de votos de feliz regresso. É mais grave, mais rápido. Mal pode o viajante olhar para trás, e descobrir ainda alguma pessoa que por ele se inquiete e o acompanhe com o seu pensamento.

Da porta que sobre os seus passos se fecha à escada que no avião o recebe, há um momento de solidão, atravessado por esperanças e temores confusos. E, apesar de sua formalidade, as últimas palavras cordiais que na terra lhe dizem os amáveis funcionários soam aos seus ouvidos com grande vibração sentimental.

Depois, o viajante não pertence mais a ninguém, nem a si mesmo. Pelos vidros do avião, vê-se o mundo de um modo diferente. Os movimentos da nave na pista furtam-lhe o sentido exato da topografia. Sua vida agora, entre esses vidros, – que são os olhos da sua viagem, – e o alumínio e o pano e a madeira e os plásticos que são sua casa, sua mesa, sua cama, tem um sentido novo. Sua família são os desconhecidos que o cercam, vindos de caminhos tão diversos, e todos por motivos tão alheios uns aos outros.

Quando o viajante ajusta o cinto ao corpo, sua identidade com a máquina torna-se definitiva. Ícaro, ao pegar nos ombros as famosas asas de cera e penas, não se sentiria com mais aérea predestinação que o homem moderno ao passar essa tira de pano por essa dócil fivela.

Nesse momento é que se dá a verdadeira despedida de quem voa. A separação dos que ficam. Não é como no cais, onde os lenços continuam a acenar, enquanto o barco se afasta. O viajante ainda está na terra, mas já está muito longe. Aqui o viajante sabe que se vai desprender do chão, entre as certezas da Física e os mistérios da Sorte.

Que pensa cada viajante, enquanto as hélices vão perdendo a realidade, transformando-se em pluma, em simples recordação, até desaparecerem, invisíveis e como inexistentes?

Há os que fecham os olhos: dormirão? rezarão? São os evadidos. Falta-lhes força para assistir a esse momento. Há os que abrem livros e revistas, sérios ou frívolos. São evadidos de outra espécie, que pretendem confundir a própria angústia, distraindo-se com palavras e figuras. Mas há os que contemplam, os que vão medindo com os olhos o seu afastamento da terra, enquanto as aeromoças, essas consoladoras divindades aéreas oferecem o que as divindades de hoje podem oferecer: chicletes de menta, sucessivamente, cigarros...

A terra ficou subitamente muito longe. Naquele abismo vertical, a sombra do avião é do tamanho de um automóvel, de um sapato, de um lápis.

O mundo do viajante é acima das florestas e das montanhas. Passam por ele as nuvens como outra humanidade. As grandes nuvens que se reúnem em assembleias brancas e cinzentas; as pequenas nuvens que passeiam de mãos dadas; as nuvens solitárias que lentamente elaboram a sua desintegração.

As dissenções da terra, a inveja, o ódio, a malícia, todas as coisas que separam e, ao mesmo tempo, unem os homens e, para quase todos, constituem a razão de ser da vida, não têm fundamento nem importância para o viajante suspenso a tantos mil metros, transportado a tantas centenas de quilômetros por hora...

Os próprios sentimentos delicados, o amor e a amizade passam a um plano cerebral, abstrato.

Desumaniza-se, o viajante, ou sobre-humaniza-se?

[1952][4]

---

4   Com letra de Cecília Meireles, lê-se: "1952. Artigos enviados para os Serviços de Imprensa, para a última coleção referente à viagem à Europa." (N. O.)

Dacar

Onde ficou a grande lua que tanto tempo se viu entre o mar e o céu, na solidão do voo?

Quem viu essa grande lua? Todos dormem. Luzes baixas. Silêncio. Cortinas corridas sobre alguns leitos.

O avião e o viajante acordado seguem como rápida flecha pelo alto do Atlântico.

Daqui a uma hora, daqui a meia hora, daqui a cinco minutos, quem sabe o que se encontra? quem sabe o que acontece? O comandante com os seus instrumentos é a clara consciência que governa estes destinos já conformados em muitas horas de convívio.

Há um momento de fadiga geral. A última leitura encerrada. O último cigarro extinto. Cabeças descaídas. Mãos abandonadas.

Tão imóvel, o avião, como se estivesse parado. Parado no ar, sem ponto de referências. Na aérea solidão, que já nem a lua percorre. Imóvel, também, a tranquila mosca pegada à vidraça, em viagem clandestina.

Longe da América, longe da Europa, longe do mar, muito longe do céu, reconhece o viajante acordado sua distância e humilde condição. Entre as certezas da Física e os mistérios da Sorte, qualquer instante pode ser o derradeiro. Na terra também é assim: mas não se sente, como na altura, com o abismo do lado de lá da parede, simultaneamente por todos os lados. É quando, em alguns, o medo converte-se em substância heroica. O homem contempla a sua fatalidade como quem se vê ao espelho.

De repente, é Dacar.

Assim, alta noite, naquele ponto onde a África se arredonda como o flanco de um vaso, o avião desce e pousa, e os passageiros sonolentos abrem os olhos para a escuridão da noite, entrecortada, apenas, pela linguagem luminosa do aeroporto.

Um grande sopro morno vem da terra, gotas dispersas de uma chuva morna caem como contas soltas, deslizam pelo alumínio, brilham no cimento, batem no rosto dos viajantes, como imprevistas lágrimas.

Os negrinhos de Dacar apressam-se entre as mesas, solícitos, com os copos, as garrafas e as bandejas. "*Eau de Vichy*" e "*Orangeade*", repetem, interminavelmente.

Há o guichê de câmbio, o dos telegramas e postais. Escreve-se para pessoas que, muito longe, estão dormindo àquela hora.

Aquela hora... – E que horas são? Cada um tem sua hora diferente...

Hora desconhecida, dinheiro desconhecido, em lugar desconhecido, em muitos idiomas diversos, cada um manda a sua mensagem...

E já se retorna ao avião, parado na noite morna, todo orvalhado, como uma flor monumental, pela chuva incerta que o vento agita.

Em redor do aeroporto, tudo é negro, denso, profundo. Não se vê mar nem terra, não se alcança nenhuma voz de habitante. Nada mais além disto: "*Eau de Vichy*" e "*Orangeade*".

E já não há mais refrescos, nem copos, nem vozes, nem mãos, nem aeroporto... Apenas o grande calor africano, e, muito longe, um estremecimento de relâmpagos sobre um horizonte que deve ser uma serra.

[1952]

Voo

– São as tempestades da Serra Leoa, – dizem.

(Gente viajada, gente entendida. Mas sonolenta, agora. Regressando ao seu torpor. Acomodando a cabeça no travesseiro. Fechando os olhos. Procurando esquecer.)

> Ontem – a Serra Leoa,
> a guerra, a caça ao leão...

Ontem... Quantas coisas, ontem, África! Os escravos, os desterros... Neste momento, apenas a figura um pouco displicente dos negrinhos de Dacar, com as suas calças típicas, bastante enxovalhadas, e os braços carregados de bandejas, garrafas, copos... *"Eau de Vichy"*... *"Orangeade"*...

Subimos tanto, subimos tanto que quase sentimos cada degrau dessa escadaria aérea da solitária ascensão.

Todos tornaram a adormecer. Por isso, não veem o fabuloso país que percorremos.

Não, não é o continente africano, não é a vasta amplidão do Sahara, cujo árido bafo se sentirá, por mais alto que se passe... ("Lá vai a África embuçada no seu branco albornoz"...)

Crônicas de viagem I ✦ 231

Não, não é o continente africano: é o país das nuvens. Cidades de nuvens levantam aqui seus palácios barrocos. Aldeias de nuvens alastram por aqui suas choças. Montanhas de nuvens contornam todo esse imponente panorama. Rios de nuvens fluem, espumantes, vertiginosos, atravessando esse país fantástico. Florestas de nuvens farfalham nesse país e tornam branca e fosca a noite que era tão negra, cega e densa.

Entre essas nuvens de todas as formas, entre essas nuvens poderosas que elevam na noite tropical uma fabulosa arquitetura, o avião é um modesto pássaro, por mais amplas que sejam suas asas, por mais seguras que sejam suas hélices.

Com grande pasmo, o viajante acordado se sente, sozinho e mínimo, nesse alto país que o sonho nunca inventaria. Sozinho, mínimo, parado. Contra ele investem as grandes, severas, vertiginosas nuvens. Sem ameaça nenhuma. Alheias a essa máquina que passa. Ocupadas com a sua metamorfose, com as suas construções e os seus desabamentos.

O viajante acordado pode pensar na terra firme; recordar a altura a que se encontra; ver no relógio como é tarde, no tempo humano; sentir o perigo que o cerca. E no entanto, no entanto... – a tardia hora, muito além do mundo, – quando todos o ignoram, quando ninguém é capaz de adivinhar o que ele está vendo, a vida estranha que está vivendo ali, – inspira-lhe um sentimento maravilhoso e terrível de liberdade, como só se pode sentir talvez na morte.

Os outros vão dormindo nas nuvens. O viajante acordado não sabe mais de sono, de corpo, de medo, de si. Pura memória, na infinita solidão...

[1952]

Madrugada no ar

É preciso ter-se passado uma noite no tumultuoso país das nuvens, para saber-se o que é uma estrela aberta na madrugada límpida.

Vem do deserto, esta luz? Ou já vem do Mediterrâneo? Uma estrela no céu. A última estrela da noite, que é também a primeira do novo dia. A única estrela salva daquela movediça paisagem barroca, daquelas fantásticas alegorias noturnas, sonhadas pela alucinação do trópico.

E a clássica Aurora de róseos dedos estende os braços no horizonte. Braços de coral e de ouro assomando ao peitoril da terra – de uma terra tão longe, tão longe, que o seu limite se confunde com a luz, com o céu, com as areias, com as águas.

Inutilmente, a claridade, que se acentua, bate nas cortinas corridas do avião. Inutilmente, os dedos róseos da Aurora tocam nessas pequenas vidraças: os viajantes dormem. Os viajantes querem acordar em terra firme. Os viajantes, hoje, querem apenas *chegar*: não querem mais *viajar*.

Porque *viajar* é ir mirando o caminho, vivendo-o em toda a sua extensão e, se possível, em toda a sua profundidade, também. É entregar-se à emoção que cada pequena coisa contém ou suscita. É expor-se a todas as experiências

Crônicas de viagem I ◆ 233

e todos os riscos, não só de ordem física, – mas, sobretudo, de ordem espiritual. Viajar é uma outra forma de meditar.

Agora, porém, os viajantes não querem gastar seus olhos nos caminhos. Que caminhos existem no ar? – perguntariam. Que se pode ver nesses longos campos onde apenas alguma nuvem flutua, alguma estrela brilha? Onde às vezes tudo é cinzento, inexistente, cego?

As cortinas não se abrirão, por mais que a Aurora desfolhe suas rosas, por mais que o Mediterrâneo envie suas mensagens clássicas aos céus altíssimos. Por mais que estejam, entre os braços da Aurora todas as mitologias e teogonias.

Os viajantes viram a cabeça para o outro lado da almofada, para que a luz não bata nos seus olhos. Os viajantes continuam a dormir.

Mais persuasiva que a Aurora é a loura aeromoça que começa a preparar suas bandejas de café.

E a notícia de que Lisboa se aproxima consegue mover um pouco a inércia dos viajantes. Abrem os olhos surpreendidos. Onde estamos? Que horas serão? Já não avistam mais a estrela, a flor de cristal que a noite oferecera ao dia. Já não avistam mais as rosas da Aurora. Encontram apenas o céu azul e a transparência do sol.

Mas, quem pode ter saudade do que não viu?

Os viajantes abrem os seus estojos. Articulam suas ideias de sabão, toalha, barba, pó de arroz, caracóis... Os viajantes preparam-se para a terra. Sonham com a terra firme, deitando tabletes de açúcar no café.

[1952]

Quem não viu Lisboa...

Com a mesma cor discreta das tapeçarias, com a graça da perspectiva medieval que o avião oferece, Lisboa docemente apresenta suas colinas, suas verduras, seus telhados minuciosamente desenhados, seu rio com muitas embarcações, fiel à memória das antigas gravuras.

Dificilmente, outro aeroporto poderá oferecer mais agradável paisagem que este, de Lisboa; e se os marujos da Nau Catrineta já lindamente avistavam, do longo mar, tão belas meninas sentadas "à sombra do laranjal", que visões teriam agora, se pelos ares chegassem a estes sítios, onde tudo se dispõe com tão envolvente poesia?

Depois da noite profunda sobre o invisível mar; depois das cidades de nuvens, de aérea mas resistente arquitetura; depois da clara estrela nascida do deserto e do Mediterrâneo, Lisboa parece um regaço florido, – miniatura de cancioneiro, nítida e suave, muito antiga e muito atual.

O prazer dessa vista aérea quase perturba a indefinível delícia do alto voo, desprendido da terra, quando a distância anula o convívio humano, e unifica os países no destino total do planeta.

Lisboa mostra seus telhados coloridos de vários tons de encarnado; mostra um céu azul um pouco evaporado pelo ouro do sol, mostra uns longes verdes esfumados e prateados, na curva moldura do horizonte de oliveiras.

E o rio estaciona, muito nítido, muito gráfico, como à espera de que lhe façam o retrato, com suas ondas tão bem arranjadas como nos velhos mapas, e seus barcos parecem apenas uma decoração náutica: tem-se a tentação de procurar a rosa dos ventos num dos cantos da paisagem, e a alegoria de algum gênio reclinado, ou na nereida Olisipo, a desenrolar a faixa com o seu nome, tendo aos pés o Tejo sob a forma de um manso golfinho encaracolado.

E telhados, embarcações, oliveiras tudo dança como cartas de um baralho pitoresco, tudo sai do lugar, desloca-se, muda de nível, à mercê do avião que baixa.

"Quem não viu Lisboa, não viu coisa boa." Os passageiros atam os cintos sem nenhuma desconfiança. Ninguém pode acreditar em nenhum perigo, sob um céu tão meigo, no deleitoso ambiente formado por essas cores da terra e das casas, divinamente harmonizadas.

Custa-se a crer que há duzentos anos tudo isto foi sacudido por um terremoto: que as igrejas caíram, que a água cresceu, que os incêndios lavraram por essas ruas, que as ruínas se amontoaram por aqui, melancolicamente.

Porque o chão é macio como pelúcia. Desliza-se como num jardim. O quadrimotor adquire um novo encanto: é um pássaro límpido descendo num canteiro de flores. Que não perde, é certo, sua noção de céu altíssimo, mas que se permite esse contato com a terra como um doce prazer merecido.

[1952]

Histórias de nuvens

Um lisboeta, deslumbrado com o outono da sua cidade, que mais parece primavera, avisa-me, discretamente orgulhoso: "Não cuide que vai encontrar tão bom tempo por aí afora... Não há mais sol nem céu azul na Europa: daqui para cima, só nuvens, chuva, frio..." Prestei atenção.

Prestei atenção ao céu e à terra, mas não pude deixar de notar os passageiros latinos que entraram no avião. O passageiro latino é diferente. Revela-se em qualquer fragmento: nas listas da calça, na ponta do sapato, no desenho das mãos, na maneira de aparar o cabelo. Não precisa virar a cara. Revela-se, também, pela mulher que o acompanha, sempre carregada de muitas coisas, possivelmente bonitas, mas provavelmente desnecessárias: flores, lencinhos, joias, bombons... (Se os motores falham, meu Deus, como salvaremos tantas miudezas?)

O passageiro latino vai sempre a coisas muito graves: congressos, onde se assinam convênios e tratados, onde se assegura a integridade das nações e se estabelece a paz no mundo...

O passageiro latino está sempre um pouco atrasado, – e por isso arma a sua mesinha entre os braços da poltrona, abre a formosa pasta com monograma de ouro (há quanto tempo eu não via uma coisa assim!) e começa a redigir certamente o seu discurso. No alto céu, com um copinho de *sherry* e um bom cigarro, tudo isso é tão lindo que até me esqueço das nuvens.

Então, a nuvem bate à minha janela, acena-me, sai dançando como as meninas do "Lago dos Cisnes". Seu pequeno saiote branco vai ficando cada vez mais transparente, e acaba-se.

Olho para baixo, e é Portugal, ainda. Portugal completamente lírico, onde se pode reconhecer o lugar das mouras encantadas, o recanto do "figueiral figueiredo" e o das "flores do verde pino". A mais terna paisagem da Europa. A mais amorosa. A mais comovente, talvez, mesmo vista de tão longe, mesmo sem a presença humana que é, em geral, o que comunica às paisagens ternura e emoção.

Mas o bom tempo continua. Depois da nuvem dançarina, vem a nadadora – uma verdadeira sereia de asas, quase parada, quase como um emblema, sobre os austeros campos de Espanha. Uma paisagem tão áspera que não se adivinha onde possam estar olivedos, vinhas, laranjais, cravos e canções. Uma grandeza seca de pedra. E, contemplando essa rude solidão, a nuvem-sereia, branca e alada.

Mas a assembleia das nuvens é para os lados de Biarritz, onde estavam amontoadas, e de onde começam a destacar-se em muitas delegações que vêm ao nosso encontro. Delicadas nuvens solteiras, com ares estudantis e uma certa liberdade balneária. Festa de férias numa universidade celeste. E, adiante, o mapa da França, todo recortado em propriedades cultivadas, em vários tons de feltro, com muitos matizes verdes, dourados e pardacentos.

As nuvens ficaram para trás, na sua festa, enquanto a França continua. O dia declina sobre esses campos onde cada polegada de terra tem a sua história.

[1952]

Além de todas as montanhas...

Estamos todos inclinados para o lado direito, alto, muito alto, além de todas as montanhas, destas montanhas da Suíça, que sobrevoamos. Todos procuramos ver o espetáculo aos nossos pés, e todos estamos transidos, mudos, arrebatados. Se respirarmos mais forte, pode ser que desequilibremos esta poderosa tensão unânime que, mais do que a máquina, parece estar sendo o que assim nos sustenta nos ares.

Na verdade, não temos noção nenhuma de movimento. Estamos suspensos e parados, acima destas imensas pedras, que formam um anfiteatro despedaçado, um teatro ciclópico, transitado por nuvens que resvalam pela cena e desaparecem nos bastidores, numa representação interminável, para um tempo sem espectadores.

E começa a declinar o dia; de modo que o sol penetra por entre esses imensos blocos, que ficam roxos, vermelhos, amarelos, e projetam nítidas sombras, uns contra os outros, e mostram suas finas arestas límpidas, inexoráveis. E de repente nos ocorre que, se o vento passa por ali, deve ser em brados violentos, como na música de Wagner.

Por mais que esteja repleto o avião, por mais que todos os passageiros se aproximem, procurando em cada janela o ponto de observação mais favorável,

Crônicas de viagem I ✦ 239

todos estamos imensamente solitários, – desligados uns dos outros, desligados dos nossos parentes e amigos, – lá muito longe, onde ficaram, sem saberem, neste momento, por onde vamos – desligados de nós mesmos, daquilo que consta, mesquinhamente, dos nossos passaportes. Somos o que somos – sem profissão, idade, nome, corpo – o que sobra de todos esses pormenores, o que viaja sob todas essas limitações, o que, por acaso, se realiza, fora de tais formalidades; o que porventura, resistirá, quando encerrarmos nossas atribuições no mundo humano. Somos o nosso silêncio interior, o nosso silêncio sempre enriquecido, e tão cheio de claridade secreta. Somos a nossa grandiosa solidão, aquela em que nos reconhecemos desde a infância, o espelho da nossa permanência, a constante vigilância da nossa vida.

E estamos todos inclinados e transidos. E vemos lá embaixo a Terra, nossa morada. E pode ser que não sejamos só da Terra...

E vemos, longe, um horizonte já de neve, – e aqui as nuvens que giram, que representam, – umas tão fluidas, outras já obesas, – que representam, neste palco de cores vibrantes, o drama natural da preparação do inverno.

Todo este tempo – e quanto tempo ficamos assim, aparentemente imóveis, nesta contemplação? – parecemos as únicas criaturas humanas existindo nesse profundo, imenso deserto de pedras tumultuosas. Mas sabemos que, desde o princípio das eras, outros passaram por ali e sentiram o mesmo espanto e a mesma emoção que estamos sentindo. O espanto e a emoção de estarem vivos, de terem olhos, e verem, e quererem saber, e não compreenderem, e estarem, ao mesmo tempo, sem nenhuma esperança, e confiantes na sua ininteligível eternidade.

Depois, o chão volta a ser uma tapeçaria quadriculada – todos os tons de verde e pardo e ruivo – o chão passa, daquela forma épica, a uma doçura romântica e arcádica, e percebemos que íamos, que vamos pousar, como num jardim, e que tomaremos chá em Zurique, antes do pôr do sol.

[1952]

Encruzilhada

Em Zurique, o avião pousa como borboleta em pétala. Ar e chão têm a mesma brandura.

Olha-se do alto da escada: um azul irreal, translúcido, leitoso, – dir-se-ia longínquo e cheio de músicas cerradas – pousa também sobre a terra, formando o círculo do crepúsculo.

Ontem, vimos a tarde em Recife, com o fabuloso sol do Brasil dourando a tarde; vimos a alta noite em Dacar, com a escuridão pontilhada de pequenas palavras francesas, moduladas por negrinhos débeis, embrulhados em calções orientais, para cá e para lá, com suas bandejas e suas risadinhas; a madrugada e sua estrela surgiam do fundo do Mediterrâneo, com a formosura própria ao nascimento de Vênus; um meio-dia lírico sussurrava pelos olivais de Lisboa, franzia docemente o cristal do Tejo; e agora atravessamos o fino azul da tarde, caminhamos sobre a sua limpidez como um fosco inseto numa cintilante vidraça.

O ar não é feito de essências bravias, como no Brasil; nem tem o peso salobro d'África; nem recende a lembranças marinhas, como em Portugal. O ar é despojado de tudo. É fino e agudo como um espinho; é muito frio, e parece branco: é um espinho de neve.

O aeroporto tem o jeito familiar de uma sala conhecida, com suas mesas cobertas de atoalhado vermelho e branco. As moças que aí servem também usam roupa quadriculada. Tudo são quadradinhos brancos e vermelhos – panos, babados, cortinas – com a ordem e a simplicidade de uma copa bem-arrumada, onde se sabe que há muito chocolate guardado, e muitas xícaras claras, que transitam sem ruído em mãos nítidas e metódicas.

Zurique, porém, é uma encruzilhada, no meio da Europa. Já desceram, estão descendo, vão descer, e já partiram e estão partindo e vão partir muitos aviões. Em francês, em alemão, em inglês, os alto-falantes anunciam todo esse movimento, com a rouquidão própria de tais aparelhos.

E a sala enche-se de figuras vindas de mil lugares diferentes, com seus mil destinos misteriosos. Uns irão até o fim do voo; outros, pode ser que caiam pelo caminho; uns viajam por motivos felizes, outros estão fugindo a calamidades; há todos os tipos, todas as raças, todos os idiomas, todas as idades: bebês que viajam em cestinhos; garotos que cambaleiam com o feitio de suas toucas e o peso de seus agasalhos; e velhos que arrastam os pés, os pigarros, o olhar, melancolicamente asmáticos e reumáticos.

E fuma-se imensamente. Fuma-se tanto que a sala, fechada por causa do frio, fica toda toldada, densa, de se poder agarrar o fumo com as mãos. De se deglutir a fumaça como se fosse rosca. De se ficar com a fumaça presa no esôfago. De se ter vertigem. Sem se poder fazer nada, porque a bagagem está ali, no chão, entre mil bagagens; e passam pela nossa frente caras curiosíssimas, que podem ilustrar contos orientais, histórias mórbidas, romances de aventuras, poemas surrealistas...

Caras de decepção, de medo, de tristeza, de ambição, de derrota, de ódio e vingança, de doçura, também, e de pusilanimidade.

E os olhos, meu Deus, os olhos arregalados, vesgos, semicerrados, assustadiços, de esguelha...

Às vezes, duas pessoas se encontram. Falam entre dentes. Mostram papéis, cartões, coisas que escondem logo no bolso interno do paletó. Tem-se a impressão de que todos levam consigo diamantes, cocaína, dinheiro falso, cartas secretas, desenhos de engenhos atômicos...

Sente-se, então, dolorosamente, que houve uma guerra. Uma guerra espantosa. E que toda aquela suspeição, aquele modo inquieto, aquela surda atmosfera que envolve cada cabeça é o resto da guerra, é o sinal do sofrimento, é o peso dessa herança amarga.

No límpido crepúsculo de Zurique, vão e vêm essas sombras infelizes, entre o fumo compacto e o vozerio dos alto-falantes. E assim se forma a noite, como habitada de entrelaçados pesadelos.

[1952]

"Douce France"

Entre nuvens de fumaça e de melancolia, aguardamos o avião que nos levará até Paris.

Era tão bela a tarde sobre as montanhas da Suíça! Era tão divino o espetáculo daquela solidão, com as nuvens girando em silêncio pelas imensas escarpadas muralhas...

Eclipsou-se a claridade do sol nas pedras; anuviou-se a transparência do crepúsculo: cachimbos, cigarros, charutos desenvolvem espirais muito acres, que começam azuis, mas logo se fazem pardas, cinzentas, e perdem o desenho, e tornam-se brenha aérea, através da qual o mundo dos homens aparece tão mesquinho, tão desgraçado que só se tem vontade de dobrar a cabeça e chorar, infinitamente chorar.

Mas bem pode ser que essa vontade de chorar não venha de raízes tão psicológicas. Pode bem ser que decorra do ar viciado, que entontece, desta fumaça que atua como gás lacrimogêneo...

Grande alívio, sair desta sala. Caminhar pela pista do aeroporto, sentir outra vez a pureza fria da atmosfera, a negra pureza da noite, que vagas luzes quase não perturbam.

Passa-se quase invisível, entre coisas mal visíveis – um banco, uma grade, uma árvore? havia ali uma árvore? – ao lado de outras pessoas, que são apenas vultos indistintos, em seus capotes, em seus agasalhos, com seus sacos, suas maletas, seu silêncio, todos naquela direção...

Mas o moço de bordo faz uma alocução de latino, atirando a cabeça e a melena para cá e para lá – e ficamos sabendo a que altura andaremos, e a que hora chegaremos, e, entre um aeroporto e outro, os aperitivos que nos vão servir, e os respectivos acompanhamentos.

Enfim, é como se aquele avião já fosse uma das infinitas esquinas da França onde se lê: "Pâtisserie".

E aquelas criaturas todas ali sentadas, duas a duas, ainda com os cintos amarrados, recebem a notícia com a mesma seriedade com que ouviriam o aviso de uma nova guerra ou do fim do mundo. Que se pode fazer, assim amarrado a uma cadeira, subindo pelo espaço, sem outra distração que essa pobre lembrança visceral?

E quando o aeromoço passa com o seu sorriso, e as suas bandejas, tenho ternura por ele, pelo copinho de vermute, pelo pastel folhado que nos oferece com tanta gentileza.

Se o motor falhar, tua não é a culpa. Chegaremos ao paraíso agradecidos ao teu último gesto de carinho que é também obra de misericórdia pois dás de comer a quem tem fome, e de beber a quem tem sede.

Tão favoráveis, porém, são os astros no firmamento que mal acabamos de matar a fome e a sede e já somos chegados, embora num aeroporto diferente.

Nunca se sabe, afinal, o que pode acontecer, quando se entra num automóvel, e ainda menos num trem, e muito menos ainda num avião; – e quando começar o voo interplanetário, as incógnitas devem ser maiores, também.

Em todo caso, estamos na França. E tudo é tão natural, e tão parecido com o que já sabemos, e tão absolutamente familiar que, se não fosse a duração do voo, pensaríamos ter ido parar de novo no Brasil.

[1952]

Pergunta em Paris

Dizer o quê – de Paris? Com o devido desconto cívico, da minha parte, e a autenticidade nacionalista do grande número, há milhares e milhares de brasileiros que são como parisienses frustrados. Vão a Paris todas as vezes que podem; irão a Paris todas as vezes que puderem; foram parisienses noutras encarnações (muitas e sucessivas); pretendem tornar a nascer lá em (muitas e sucessivas) encarnações futuras.

Paris é uma espécie de mulher fatal. E que se pode dizer das mulheres fatais? Aqueles mesmos que se rendem aos seus encantos, apenas balbuciam coisas sem nexo, quando pretendem explicá-las. Coisas tão triviais, às vezes, que o ouvinte, desejoso de êxtase e instrução, fica de repente submerso em puro tédio.

(Ah... Paris vista desse *"là-bas"* onde as criaturas delirantes, além de parisienses desterradas ou desencarnadas, são, frequentemente, nobres exemplares mestiços de almas helênicas!...)

Nossas crédulas avós guardando amores-perfeitos entre páginas de Musset... Nossos tios solteirões meditando sobre Naná e *Mme.* Bovary... Toucadores, potes de opalina, jornais de modas; saudades de Luís XV, salões dourados, bustos de Napoleão; lágrimas imensas pela memória da Dama das Camélias; camarins, buquês de flores; pernas de can-can líricas e vaporosas, na adoração, como pintadas por Degas; toda a curiosidade da distância atravessando o Arco do Triunfo e subindo pela Torre Eiffel; os postais dos álbuns; a encantadora palavra "*Souvenir*" e a alucinante confissão "*Je t'aime*"; guerras, canções; de novo, guerra, canções; bistrôs, Pigalle, existencialismo, alta-costura... E a anedota do turista milionário: "Por quanto se pode fazer uma cidade assim como esta...?"

Paris. Em qualquer esquina, uma tabuleta: "*Tabac*". Em qualquer esquina, uma pastelaria. E o resto, como em qualquer grande cidade de muitos séculos, – mais o turista, não milionário, que veio fazer pechinchas com vidros de perfume e aparelhos de cristal, e vai ao Louvre para ver a Gioconda e, depois de respirar três vezes a brisa do Sena, acredita que ficou civilizado.

Há, porém, o viajante independente e sem delírios, que atravessa Paris com a maior naturalidade, ama os seus belos parques, detesta algumas esculturas, detém-se diante de certas antiguidades, e, na larga solidão noturna de suas ruas e praças silenciosas, contempla a auréola que os séculos fazem desabrochar em redor de velhas coisas, como os resplendores, nas imagens dos santos.

A densidade do passado é que, sobretudo, comove o transeunte sensível, e põe sobre a aventura dramática, – frívola, maliciosa, pungente, amarga, inconsolável – dos dias de hoje aquele sentimento de eternidade que é um permanente convite e um permanente aviso pregado como um cartaz em cada parede, em cada portão, em cada árvore, em cada figura.

Pelas margens do Sena, o vento da tarde revolve os encerados dos livreiros, mete-se por entre os livros, mira os mapas do tempo em que ainda se sabia o lugar certo do Brasil, as gravuras caídas de velhos livros e edições... Tudo quanto fez fé antes da era atômica está ali, de braços quebrados, como certas estátuas. O vento é uma espécie de menino vindo também de muito longe, e querendo saber mil coisas.

Os alfarrabistas enxotam o vento, que lhes está desarrumando as barracas. Os alfarrabistas estão com frio e torcem as mãos, e levantam a gola dos casacos. Os alfarrabistas do Sena têm muitos séculos de idade, como os seus livros e mapas. O vento que eles enxotam parece um menino mas também é secular. Assim também os adolescentes, as flores, as nuvens...

Dizer o quê – de Paris? Os turistas dirão muitas coisas: lugares, preços, estações de metrô. Os turistas sabem coisas práticas. Os outros sabem que onde as informações acabam é que a vida começa. E a vida é que vale a pena.

[1952]

Museus da França

Não se sabe de onde vem tanta gente, nem que espécie de curiosidade é a sua: desde que abrem as portas, até que as fecham, os museus da França regurgitam de visitantes – que contemplam com a mesma cara deslumbrada o túmulo de Napoleão, nos Inválidos, ou as esculturas de Rodin, – naquele casarão por onde se sente a sombra de Rilke – ou os impressionistas, agora reunidos nas Tuilleries, ou o orientalismo do museu Guimet, ou as vastas salas do Louvre, ou os palácios e castelos que assomam por todos os lados, com seus móveis, seus quadros, suas bibliotecas, suas coleções...

Comprime-se a multidão para comprar seu bilhete de cinquenta francos: crianças e velhos, senhoras vestidas de mil estranhas maneiras – peles, casacos, chapéus, botas, – e, pelo meio, narizes vermelhos, olhos de todas as cores, óculos, barbas, bigodes, palavras de todos os idiomas, e silêncios de profunda admiração.

Logo a seguir, aparece o guia.

Presumo que o guia saiba muito; presumo que ele saiba tudo. Mas, dizer-se todos os dias aquilo que se sabe, repetir-se a história daquela parede e daquela porta, daquele vitral e daquela estátua; apontar-se aquela pintura do teto

248 ✦ Cecília Meireles

e aquele ponteiro do relógio, aquela cena da tapeçaria e aquela coluna de mármore acaba por ser tarefa que exige compleição de Hércules. E todos os guias que encontrei até agora são umas amáveis pessoas fatigadas, cuja voz rouca vai atropelando, por entre numerosos pigarros, os nomes e as datas e os episódios da vasta história da Europa e da não menos vasta história da França.

O guia vai na frente, como um grande condutor de povos: atrás dele seguem aristocratas e plebeus, nacionais e estrangeiros, doutores e iletrados, todos boquiabertos, virando a cabeça para cá e para lá, conforme indica a sua voz: na tapeçaria à esquerda... por cima da porta, ao fundo... no alto da lareira, ali... no tapete, no teto... na janela... no jardim...

Impossível, um instante de silêncio e solidão, para se "sentir" a sala onde os reis sofreram, onde os duques conversaram, onde alguém nasceu ou morreu. Impossível, parar-se diante de um objeto para qualquer comunicação sentimental. O guia sai de um aposento, passa para outro, docilmente seguido pela multidão que vira a cabeça para todos os lados e acaba a visita sem ter visto nada, mas contente, por haver empregado bem os seus cinquenta francos. Quantas salas! quantas pinturas! quantos livros, nas estantes! quantas joias nas vitrinas! e quantos reis! e quantas batalhas! e como o guia sabe tudo aquilo! meu Deus, que portento! que glória! que acadêmico! que sábio!

Cá fora, a lufada fria do outono varre da memória todas aquelas coisas ouvidas... O museu fecha-se com sua vida verdadeira, com suas lembranças, com seus medos, com suas saudades. Então, sim, é que vale a pena imaginá-lo: com os fantasmas saindo das paredes e respirando o seu grato perfume de mofo que os visitantes corrompem com variadas essências; com as sedas deslizando cariciosamente pelas escadas – tão doloridas, em suas cores mortas, tão ricas de pensamento, em cada franzido e em cada babado; com os dentes dos duques e dos condes – grandes caçadores, grandes comilões, grandes artríticos – luzindo à claridade das tochas, nas amplas salas de jantar; com os anéis estremecendo, nas pequenas mãos das damas de corte; com a fumaça das terrinas subindo e invadindo tudo, entre o vozerio dos cozinheiros e as exclamações das criadas.

E os sonhos das coisas, também: o sonho do relógio dourado; do toucador de seda azul; das grandes mesas sem papéis, sem penas, sem mãos; dos espelhos sem o rosto de suas donas e dos jardins sem o eco de seus nomes.

O guia não sabe nada disso, e os visitantes não vieram para coisas imaginárias... O museu – pensam eles – é aquela casa, com aqueles objetos e um

Crônicas de viagem I ✦ 249

bilhete de entrada, e um mostruário de postais. "Senhores e senhoras, a visita está terminada."

Mas somente daí em diante é que o museu, na verdade, principia...

[1952]

Cronologia

1901

A 7 de novembro, nasce Cecília Benevides de Carvalho Meirelles, no Rio de Janeiro. Seus pais, Carlos Alberto de Carvalho Meirelles (falecido três meses antes do nascimento da filha) e Mathilde Benevides. Dos quatro filhos do casal, apenas Cecília sobrevive.

1904

Com a morte da mãe, passa a ser criada pela avó materna, Jacintha Garcia Benevides.

1910

Conclui com distinção o curso primário na Escola Estácio de Sá.

1912

Conclui com distinção o curso médio na Escola Estácio de Sá, premiada com medalha de ouro recebida no ano seguinte das mãos de Olavo Bilac, então inspetor escolar do Distrito Federal.

1917

Formada pela Escola Normal (Instituto de Educação), começa a exercer o magistério primário em escolas oficiais do Distrito. Estuda línguas e em seguida ingressa no Conservatório de Música.

1919

Publica o primeiro livro, *Espectros*.

1922

Casa-se com o artista plástico português Fernando Correia Dias.

1923

Publica *Nunca mais... e Poema dos poemas*. Nasce sua filha Maria Elvira.

1924

Publica o livro didático *Criança meu amor...* Nasce sua filha Maria Mathilde.

1925

Publica *Baladas para El-Rei*. Nasce sua filha Maria Fernanda.

1927

Aproxima-se do grupo modernista que se congrega em torno da revista *Festa*.

1929

Publica a tese *O espírito vitorioso*. Começa a escrever crônicas para *O Jornal*, do Rio de Janeiro.

1930

Publica o ensaio *Saudação à menina de Portugal*. Participa ativamente do movimento de reformas do ensino e dirige, no *Diário de Notícias*, página diária dedicada a assuntos de educação (até 1933).

1934

Publica o livro *Leituras infantis*, resultado de uma pesquisa pedagógica. Cria uma biblioteca (pioneira no país) especializada em literatura infantil, no antigo Pavilhão Mourisco, na praia de Botafogo. Viaja a Portugal, onde faz conferências nas Universidades de Lisboa e Coimbra.

1935

Publica em Portugal os ensaios *Notícia da poesia brasileira* e *Batuque, samba e macumba*.

Morre Fernando Correia Dias.

Nomeada professora de literatura luso-brasileira e mais tarde técnica e crítica literária da recém-criada Universidade do Distrito Federal, na qual permanece até 1938.

1937

Publica o livro infantojuvenil *A festa das letras*, em parceria com Josué de Castro.

1938

Publica o livro didático *Rute e Alberto resolveram ser turistas*. Conquista o prêmio Olavo Bilac de poesia da Academia Brasileira de Letras com o inédito *Viagem*.

1939

Em Lisboa, publica *Viagem*, quando adota o sobrenome literário Meireles, sem o *l* dobrado.

1940

Leciona Literatura e Cultura Brasileiras na Universidade do Texas, Estados Unidos. Profere no México conferências sobre literatura, folclore e educação.

Casa-se com o agrônomo Heitor Vinicius da Silveira Grillo.

1941

Começa a escrever crônicas para *A Manhã*, do Rio de Janeiro. Dirige a revista *Travel in Brazil*, do Departamento de Imprensa e Propaganda.

1942

Publica *Vaga música*.

1944

Publica a antologia *Poetas novos de Portugal*. Viaja para o Uruguai e para a Argentina. Começa a escrever crônicas para a *Folha Carioca* e o *Correio Paulistano*.

1945

Publica *Mar absoluto e outros poemas* e, em Boston, o livro didático *Rute e Alberto*.

1947

Publica em Montevidéu *Antologia poética (1923-1945)*.

1948

Publica em Portugal *Evocação lírica de Lisboa*. Passa a colaborar com a Comissão Nacional do Folclore.

1949

Publica *Retrato natural* e a biografia *Rui: pequena história de uma grande vida*. Começa a escrever crônicas para a *Folha da Manhã*, de São Paulo.

1951

Publica *Amor em Leonoreta*, em edição fora de comércio, e o livro de ensaios *Problemas da literatura infantil*.

Secretaria o Primeiro Congresso Nacional de Folclore.

1952

Publica *Doze noturnos da Holanda & O Aeronauta* e o ensaio "Artes populares" no volume em coautoria *As artes plásticas no Brasil*. Recebe o Grau de Oficial da Ordem do Mérito, no Chile.

1953

Publica *Romanceiro da Inconfidência* e, em Haia, *Poèmes*. Começa a escrever para o suplemento literário do *Diário de Notícias*, do Rio de Janeiro, e para *O Estado de S. Paulo*.

1953-1954

Viaja para a Europa, Açores, Goa e Índia, onde recebe o título de Doutora *Honoris Causa* da Universidade de Delhi.

1955

Publica *Pequeno oratório de Santa Clara, Pistoia, cemitério militar brasileiro* e *Espelho cego*, em edições fora de comércio, e, em Portugal, o ensaio *Panorama folclórico dos Açores: especialmente da Ilha de S. Miguel*.

1956

Publica *Canções* e *Giroflê, giroflá*.

1957

Publica *Romance de Santa Cecília* e *A rosa*, em edições fora de comércio, e o ensaio *A Bíblia na poesia brasileira*. Viaja para Porto Rico.

1958

Publica *Obra poética* (poesia reunida). Viaja para Israel, Grécia e Itália.

1959

Publica *Eternidade de Israel*.

1960

Publica *Metal rosicler*.

1961

Publica *Poemas escritos na Índia* e, em Nova Delhi, *Tagore and Brazil*.

Começa a escrever crônicas para o programa *Quadrante*, da Rádio Ministério da Educação e Cultura.

1962

Publica a antologia *Poesia de Israel*.

1963

Publica *Solombra* e *Antologia poética*. Começa a escrever crônicas para o programa *Vozes da cidade*, da Rádio Roquette-Pinto, e para a *Folha de S.Paulo*.

1964

Publica o livro infantojuvenil *Ou isto ou aquilo*, com ilustrações de Maria Bonomi, e o livro de crônicas *Escolha o seu sonho*.

Falece a 9 de novembro, no Rio de Janeiro.

1965

Conquista, postumamente, o Prêmio Machado de Assis da Academia Brasileira de Letras, pelo conjunto de sua obra.

GRÁFICA PAYM
Tel. [11] 4392-3344
paym@graficapaym.com.br